Николай Носов

НЕЗНАЙКА В СОЛНЕЧНОМ ГОРОДЕ

Издание И. П. Носова

Москва
«Махаон»
2008

УДК 821.161.1-93
ББК 84(2 Рос=Рус)6
Н84

Художник О. Зобнина

ISBN 978-5-389-00238-8

ГЛАВА ПЕРВАЯ

Незнайка мечтает

Некоторые читатели уже, наверно, читали книгу «Приключения Незнайки и его друзей». В этой книге рассказывается о сказочной стране, в которой жили малыши и малышки, то есть крошечные мальчики и девочки, или, как их иначе называли, коротышки. Вот такой малыш-коротышка и был Незнайка. Жил он в Цветочном городе, на улице Колокольчиков, вместе со своими друзьями Знайкой, Торопыжкой, Растеряйкой, механиками Винтиком и Шпунтиком, музыкантом Гуслей, художником Тюбиком, доктором Пилюлькиным и многими другими. В книге рассказывается о том, как Незнайка и его друзья совершили путешествие на воздушном шаре, побывали в Зелёном городе и городе Змеевке, о том, что они увидели и чему научились. Вернувшись из путешествия, Знайка и его друзья взялись за работу: стали строить мост через реку Огурцовую, тростниковый водопровод и фонтаны, которые они видели в Зелёном городе.

Коротышкам всё это удалось сделать, после чего они принялись проводить на улицах города электрическое освещение, устроили телефон, чтоб можно было разговаривать друг с другом, не выходя из дома, а Винтик и Шпунтик под руководством Знайки сконструировали телевизор, чтоб можно было смотреть дома кинокартины и театральные представления.

Как уже всем известно, Незнайка после путешествия значительно поумнел, стал учиться читать и писать, прочитал всю грамматику и почти всю арифметику, стал делать задачки и уже даже хотел начать изучать физику, которую в шутку называл физикой-мизикой, но как раз тут ему почему-то расхотелось учиться. Это часто случается в стране коротышек. Иной коротышка наобещает с три короба, наговорит, что сделает и это и то, даже горы свернёт и вверх ногами перевернёт, на самом же деле поработает несколько дней в полную силу, а потом снова понемножку начинает отлынивать.

Никто, конечно, не говорит, что Незнайка был неисправимый лентяй. Вернее сказать, он просто сбился с правильного пути. Научившись как следует читать, он просиживал целыми днями над книжками, но читал вовсе не то, что было нужней, а то, что поинтереснее, главным образом сказки. Начитавшись сказок, он совсем перестал заниматься делом и, как говорится, с головой окунулся в грёзы. Он подружился с малышкой Кнопочкой, которая прославилась тем, что также ужасно любила сказки. Забравшись куда-нибудь в укромное место, Незнайка и Кнопочка начинали мечтать о разных чудесах – о шапках-невидимках, коврах-самолётах, сапогах-скороходах, серебряных блюдечках и наливных яблочках, волшебных палочках, о ведьмах и колдунах, о добрых и злых волшебниках и волшебницах. Они только и делали, что рассказывали друг другу разные сказки, но самым любимым занятием у них было спорить, что лучше: шапка-невидимка или ковёр-самолёт, гусли-самогуды или сапоги-скороходы? И они до того горячо спорили, что дело иногда даже кончалось дракой.

Однажды они спорили два дня подряд, и Незнайке удалось доказать Кнопочке, что лучше всего волшебная палочка, потому что тот, кто ею владеет, может достать себе всё, что угодно. Ему стоит только взмахнуть волшебной палочкой и сказать: «Хочу, чтоб у меня была шапка-невидимка или сапоги-скороходы», и всё это у него сразу появится.

Главное, говорил Незнайка, что тот, у кого есть волшебная палочка, может всему без труда научиться, то есть ему даже не нужно учиться, а только взмахнуть палочкой и сказать: хочу, мол, знать арифметику или французский язык, и он сразу станет знать арифметику и заговорит по-французски.

После этого разговора Незнайка ходил как околдованный. Часто, проснувшись ночью, он подскакивал на постели, начинал что-то бормотать про себя и махать руками. Это он воображал, будто машет волшебной палочкой. Доктор Пилюлькин заметил, что с Незнайкой творится что-то неладное, и сказал, что если он не прекратит свои ночные спектакли, то придётся его привязывать к кровати верёвкой и давать на ночь касторки. Незнайка, конечно, испугался касторки и стал вести себя тише.

Однажды Незнайка встретился с Кнопочкой на берегу реки. Они уселись на большом зелёном огурце, которые во множестве росли вокруг. Солнышко уже поднялось высоко и как следует пригревало землю, но Незнайке и Кнопочке не было жарко, потому что огурец, на котором они сидели, словно на лавочке, был довольно прохладный, а сверху их защищали от солнца широкие огуречные листья, раскинувшиеся над ними, как огромные зелёные зонтики. Ветерок тихо шуршал в траве и поднимал на реке лёгкую рябь, которая так и сверкала на солнышке. Тысячи солнечных зайчиков, отразившись от поверхности воды, плясали на огуречных листьях, освещая их снизу каким-то таинственным светом. От этого казалось, что воздух под листьями, где сидели Незнайка и Кнопочка, тоже волнуется и трепещет, словно машет бесчисленными невидимыми крылышками, и всё это выглядело каким-то необычным, волшебным. Но Незнайка и Кнопочка не замечали никакого волшебства вокруг, так как вся эта картина была для них слишком привычна, да к тому же каждый из них был занят своими мыслями. Кнопочке очень хотелось поговорить о сказках, но Незнайка почему-то упорно молчал, и лицо у него было такое кислое и сердитое, что она даже боялась заговорить с ним.

Наконец Кнопочка всё же не выдержала и спросила:

– Скажи, Незнайка, какая муха тебя укусила сегодня? Почему ты такой скучный?

– Меня сегодня ещё никакая муха не кусала, – ответил Незнайка. – А скучный я оттого, что мне скучно.

– Вот так объяснил! – засмеялась Кнопочка. – Скучный, потому что скучно. Ты постарайся объяснить потолковее.

– Ну, понимаешь, – сказал Незнайка, разводя руками, – у нас в городе всё как-то не так, как надо. Нет никаких, понимаешь, чудес, ничего нет волшебного... То ли дело в старые времена! Тогда чуть ли не на каждом шагу встречались волшебники, колдуны или хотя бы ведьмы. Недаром об этом в сказках рассказывается.

– Конечно, недаром, – согласилась Кнопочка. – Но волшебники были не только в старые времена. Они и теперь есть, только не каждый их может встретить.

– Кто же их может встретить? Может быть, ты? – с насмешкой спросил Незнайка.

– Что ты, что ты! – замахала руками Кнопочка. – Ты ведь знаешь, я такая трусиха, что повстречайся мне сейчас волшебник, так я, наверно, и слова не скажу от страха. А вот ты, наверно, смог бы поговорить с волшебником, потому что ты очень храбрый.

– Конечно, я храбрый, – подтвердил Незнайка. – Только мне почему-то до сих пор ещё ни один волшебник не встретился.

– Это потому, что здесь одной храбрости мало, – сказала Кнопочка. – Я в какой-то сказке читала, что надо совершить три хороших поступка подряд. Тогда перед тобой появится волшебник и даст тебе всё, что ты у него попросишь.

– И даже волшебную палочку?

– Даже волшебную палочку.

– Ишь ты! – удивился Незнайка. – А что, по-твоему, считается хорошим поступком? Если я, например, утром встану и умоюсь холодной водой с мылом – это будет хороший поступок?

– Конечно, – сказала Кнопочка. – Если кому-нибудь будет тяжело, а ты поможешь, если кого-нибудь станут обижать, а ты защитишь – это тоже будут хорошие поступки. Даже если кто-нибудь поможет тебе, а ты за это скажешь спасибо, то также поступишь хорошо, потому что всегда надо быть благодарным и вежливым.

– Ну что ж, по-моему, это дело нетрудное, – сказал Незнайка.

– Нет, это очень трудно, – возразила Кнопочка, – потому что три хороших поступка надо совершить подряд, а если между ними попадётся хоть один плохой поступок, то уже ничего не выйдет и придётся всё начинать сначала. Кроме того, хороший поступок будет только тогда хорошим, когда ты совершаешь его бескорыстно, не думая о том, что ты делаешь его для какой-нибудь собственной выгоды.

– Ну конечно, конечно, – согласился Незнайка. – Какой же это будет хороший поступок, если ты совершаешь его ради выгоды! Ну что ж, сегодня я ещё отдохну, а завтра начну совершать хорошие поступки, и если всё это правда, то волшебная палочка скоро будет в наших руках!

ГЛАВА ВТОРАЯ

Как Незнайка совершал хорошие поступки

На другой день Незнайка проснулся пораньше и начал совершать хорошие поступки. Первым делом он как следует умылся холодной водой, причём не жалел мыла, и хорошенько почистил зубы.

– Вот и есть уже один хороший поступок, – сказал он сам себе, утёршись полотенцем и старательно причёсывая волосы перед зеркалом.

Торопыжка увидел, что он вертится перед зеркалом, и сказал:

– Хорош, хорош! Нечего сказать, очень красивый!

– Да уж красивее тебя! – ответил Незнайка.

— Конечно. Такую красивую физиономию, как у тебя, поискать надо!

— Что ты сказал? Это у кого физиономия? Это у меня физиономия? — обозлился Незнайка да как хлестнёт Торопыжку по спине полотенцем.

Торопыжка только рукой махнул и поскорей убежал от Незнайки.

— Торопыжка несчастный! — кричал ему вслед Незнайка. — Из-за тебя хороший поступок пропал!

Хороший поступок действительно пропал, так как, разозлившись на Торопыжку и ударив его по спине полотенцем, Незнайка, конечно, совершил плохой поступок, и теперь нужно было начинать всё дело сначала.

Немного успокоившись, Незнайка стал думать, какой бы ещё совершить хороший поступок, но в голову почему-то ничего дельного не приходило. До завтрака он так ничего и не придумал, но после завтрака голова у него стала соображать немножко лучше. Увидев, что доктор Пилюлькин принялся толочь в ступке какое-то снадобье для лекарства, Незнайка сказал:

– Ты, Пилюлькин, всё трудишься, всё другим помогаешь, а тебе никто помочь не хочет. Давай я потолку за тебя лекарство.

– Пожалуйста, – согласился Пилюлькин. – Это очень хорошо, что ты хочешь помочь мне. Мы все должны помогать друг другу.

Он дал Незнайке ступку, и Незнайка принялся толочь порошок, а Пилюлькин делал из этого порошка пилюли. Незнайка так увлёкся, что натолок порошка даже больше, чем нужно.

«Ну, ничего, –думал он. – Это делу не помешает. Зато я совершил хороший поступок».

Дело действительно кончилось бы вполне благополучно, если бы Незнайку не увидели за этим занятием Сиропчик и Пончик.

– Смотри, – сказал Пончик, – Незнайка, видать, тоже решил стать доктором. Вот будет потеха, когда он начнёт лечить всех!

– Нет, он, наверно, решил подлизаться к Пилюлькину, чтоб не давал касторки, – ответил Сиропчик.

Услышав эти насмешки, Незнайка разозлился и замахнулся на Сиропчика ступкой:

– А ты, Сиропчик, молчи, а то вот как дам ступкой!

– Стой! Стой! – закричал доктор Пилюлькин.

Он хотел отнять у Незнайки ступку, но Незнайка не отдавал, и они принялись драться. В драке Пилюлькин зацепился за стол ногой. Стол опрокинулся. Весь порошок так и посыпался на пол, пилюли покатились в разные стороны. Насилу Пилюлькину удалось отнять у Незнайки ступку, и он сказал:

— Марш отсюда, негодный! Чтоб я тебя здесь больше не видел! Столько лекарства пропало зря!

— Ах ты Сироп противный! — ругался Незнайка. — Я тебе ещё покажу, попадись ты мне только! Какой хороший поступок даром пропал!

Да, хороший поступок пропал и на этот раз, потому что Незнайка даже не успел его довести до конца.

Так было весь день. Сколько ни старался Незнайка, ему никак не удавалось совершить не только трёх, но даже двух хороших поступков подряд. Если ему удавалось сделать что-нибудь хорошее, то сейчас же вслед за этим он делал что-нибудь скверное, а иной раз из хорошего поступка уже в самом начале выходила какая-нибудь чепуха.

Ночью Незнайка долго не мог уснуть и всё думал, почему у него так получается. Постепенно он понял, что все его неудачи происходили из-за того, что у него был слишком грубый характер. Стоило только кому-нибудь пошутить или сделать какое-нибудь безобидное замечание, как Незнайка тотчас обижался, начинал кричать и даже лез в драку.

– Ну, ничего, – утешал сам себя Незнайка. – Завтра я стану вежливей, и тогда дело пойдёт на лад.

Наутро Незнайка словно переродился. Он стал очень вежливый, деликатный. Если обращался к кому-нибудь с просьбой, то обязательно говорил «пожалуйста» – слово, которого от него никогда в жизни не слыхивали. Кроме того, он старался всем услужить, угодить. Увидев, что Растеряйка никак не может найти свою шапку, которая у него постоянно терялась, он тоже принялся искать по всей комнате и в конце концов нашёл шапку под кроватью. После этого он извинился перед Пилюлькиным за вчерашнее и попросил, чтоб он снова разрешил ему толочь порошок. Доктор Пилюлькин толочь порошок не разрешил, но дал поручение нарвать в саду ландышей, которые нужны были ему для приготовления ландышевых капель. Незнайка старательно исполнил это поручение. Потом он почи-

стил охотнику Пульке его новые охотничьи сапоги ваксой, потом стал мести полы в комнатах, хотя в этот день была вовсе не его очередь. В общем, он наделал целую кучу хороших поступков и всё ждал, что вот-вот перед ним появится добрый волшебник и даст ему волшебную палочку. Однако день кончился, а волшебник так и не появился. Незнайка страшно рассердился.

– Что это ты мне наврала про волшебника? – сказал он, встретившись на другой день с Кнопочкой. – Я как дурак старался, совершил целую кучу хороших поступков, а никакого волшебника и в глаза не видел!

– Я тебе не врала, – стала оправдываться Кнопочка. – Я точно помню, что читала об этом в сказке.

– Почему же не явился волшебник? – сердито наступал Незнайка.

Кнопочка говорит:

– Ну, волшебник сам знает, когда ему нужно являться. Может быть, ты совершил не три хороших поступка, а меньше.

– «Не три, не три»! –презрительно фыркнул Незнайка. – Не три, а, наверно, тридцать три – вот сколько!

Кнопочка пожала плечами:

– Значит, ты, наверно, совершал хорошие поступки не подряд, а вперемежку с плохими.

– «Вперемежку с плохими»! – передразнил Незнайка Кнопочку и скорчил такую физиономию, что Кнопочка в испуге даже попятилась. – Если хочешь знать, я вчера весь день был вежливый и ничего плохого не делал: не ругался, не дрался, а если и говорил какие слова, то только «извините», «спасибо», «пожалуйста».

– Что-то сегодня от тебя этих слов не слышно, – покачала головой Кнопочка.

– Да я вовсе не про сегодня, а про вчера рассказываю.

Незнайка и Кнопочка стали думать, почему всё так вышло, и ничего не могли придумать. Наконец Кнопочка сказала:

– А может быть, ты не бескорыстно совершал эти поступки, а ради выгоды?

Незнайка даже вспылил:

– Как это – не бескорыстно? Что ты мелешь! Растеряйке шапку помог найти. Моя эта шапка, что ли? Пилюлькину ландыши собирал. Какая мне выгода от этих ландышей?

– Для чего же ты их собирал?

– Будто не понимаешь? Сама ведь сказала: если совершу три хороших поступка, то получу волшебную палочку.

– Значит, ты всё это делал, чтоб получить волшебную палочку?

– Конечно!

– Вот видишь, а говоришь – бескорыстно.

– Для чего же я, по-твоему, должен совершать эти поступки, если не ради палочки?

– Ну, ты должен совершать их просто так, из хороших побуждений.

– Какие там ещё побуждения!

– Эх, ты! – с усмешкой сказала Кнопочка. – Ты, наверно, можешь поступать хорошо только тогда, когда знаешь, что тебе дадут за это какое-нибудь вознаграждение – волшебную палочку или что-нибудь ещё. Я знаю, у нас есть такие малыши, которые даже вежливыми стараются быть только потому, что им объяснили, будто вежливостью да угождением можно добиться чего-нибудь для себя.

– Ну, я не такой, – махнул Незнайка рукой. – Я, если хочешь, могу быть вежливым совсем даром и хорошие поступки могу совершать без всякой выгоды.

Расставшись с Кнопочкой, Незнайка пошёл домой. Он решил совершать теперь хорошие поступки только из хороших побуждений и совсем даже не думать о волшебной палочке. Однако легко говорить – не думать! На самом деле, когда хочешь о чём-нибудь не думать, обязательно только о том и думаешь.

Вернувшись домой, Незнайка стал читать книжку со сказками. Охотник Пулька, который сидел у окна и чистил своё охотничье ружьё, сказал:

– Что ты там читаешь такое интересное? Ты бы почитал вслух.

Незнайка только хотел сказать: «Если тебе так хочется, так возьми сам почитай», но в это время он вспомнил о волшебной палочке и подумал, что если исполнит просьбу Пульки, то совершит хороший поступок.

– Ну ладно, слушай, – согласился Незнайка и стал читать книжку вслух.

Охотник Пулька слушал с удовольствием, и ему не так скучно было чистить ружьё. Другие коротышки услышали, что Незнайка читает сказки, и тоже собрались послушать.

– Молодец, Незнайка! – сказали они, когда книжка кончилась. – Это ты славно придумал – почитать вслух.

Незнайке было приятно, что его хвалят, и в то же время было очень досадно, что он не вовремя вспомнил о палочке.

«Если бы я не вспомнил о палочке и согласился почитать книжку просто так, то сделал бы это из хороших побуждений, а теперь получается, что я читал ради выгоды», – думал Незнайка.

Так получалось каждый раз: Незнайка совершал хорошие поступки только тогда, когда вспоминал о волшебной палочке; когда же он забывал о ней, то способен был совершать только плохие поступки. Конечно, если сказать по правде, то иногда ему всё же удавалось совершить какой-нибудь совсем крошечный хороший поступок, вовсе не думая о том, что он делает это ради волшебной палочки. Однако это случалось так редко, что не стоит и говорить.

Проходили дни, недели и месяцы... Незнайка постепенно разочаровался в волшебной палочке. Чем дальше, тем реже он вспоминал о ней и под конец решил, что получить волшебную палочку – это недостижимая мечта для него, так как ему никогда не удастся бескорыстно совершить три хороших поступка подряд.

– Ты знаешь, – сказал он однажды Кнопочке, – мне кажется, что никакой волшебной палочки на свете нет, и сколько поступков ни совершишь, а получишь только шиш.

Незнайка даже засмеялся от удовольствия, потому что эти слова получились у него в рифму. Кнопочка тоже засмеялась, а потом сказала:

– Почему же в сказке говорилось, что нужно совершить три хороших поступка?

– Должно быть, эту сказку нарочно придумали для того, чтоб какие-нибудь глупые коротышки приучались совершать хорошие поступки, – сказал Незнайка.

– Это разумное объяснение, – сказала Кнопочка.

– Очень разумное, – согласился Незнайка. – Ну что ж, я не жалею, что всё так вышло. Во всяком случае, для меня это было полезно. Пока я старался совершать хорошие поступки, я привык умываться каждое утро холодной водой, и теперь мне это даже нравится.

ГЛАВА ТРЕТЬЯ

Незнайкина мечта исполняется

Однажды Незнайка сидел дома и смотрел в окно. Погода в этот день была скверная. Небо всё время хмурилось, солнышко с утра не выглянуло ни разу, дождь лил не переставая. Конечно, нечего было и думать о том, чтоб пойти погулять, и от этого на Незнайку напало уныние.

Известно, что погода по-разному действовала на жителей Цветочного города.

Знайка, например, говорил, что ему всё равно, снег или дождик, так как самая скверная погода не мешает ему сидеть дома и заниматься делом. Доктор Пилюлькин утверждал, что плохая погода ему нравит-ся даже больше, чем хорошая, потому что она зака-

ляет организмы коротышек и от этого они меньше болеют. Поэт Цветик рассказывал, что самое большое для него удовольствие – это забраться в проливной дождь на чердак, улечься там поудобнее на сухих листьях и слушать, как дождевые капли стучат по крыше.

«Вокруг бушует непогода, – говорил Цветик. – На улицу даже нос высунуть страшно, а на чердаке тепло и уютно. Сухие листья чудесно пахнут, дождь барабанит по крыше. От этого становится так хорошо на душе, так приятно, и хочется сочинять стихи!»

Но большинство коротышек не любили дождя. Была даже одна малышка, по имени Капелька, которая каждый раз плакала, как только начинался дождь. Когда её спрашивали, почему она плачет, она отвечала:

«Не знаю. Я всегда плачу во время дождя».

Незнайка, конечно, был не такой слабонервный, как эта плаксивая Капелька, но в плохую погоду настроение и у него портилось. Так было и на этот раз. Он с тоской смотрел на косые струи дождя, на фиалки, мокшие во дворе под окном, на пёсика Бульку, который обычно сидел на цепи перед домом, а сейчас забрался в свою будку и только выглядывал из неё, высунув в отверстие кончик носа.

«Бедный Булька! – думал Незнайка. – Целый день на цепи сидит и не может даже побегать вволю, а теперь ему приходится из-за дождя в тесной конурке сидеть. Надо будет отпустить его погулять, когда кончится этот противный дождик».

Но дождь всё не кончался, и Незнайке стало казаться, что теперь он никогда не пройдёт, а будет лить вечно, что солнышко скрылось навсегда и никогда больше не выглянет из-за туч.

«Что же тогда будет с нами? – думал Незнайка. – Ведь от воды размокнет земля. Слякоть получится такая, что ни пройти ни проехать. Все улицы зальёт грязью. В грязи утонут и дома, и цветы, и деревья, потом начнут тонуть коротышки. Вот ужас!»

Пока Незнайка представлял себе все эти ужасы и думал о том, как трудно будет жить в этом слякотном царстве, дождь постепенно

кончился, ветер разогнал тучи, солнышко наконец выглянуло. Небо прояснилось. Сразу стало светло. Крупные, ещё не просохшие капли дождя задрожали, засверкали, засеребрились на листьях травы, на лепестках цветов. Всё как будто помолодело вокруг, обрадовалось и заулыбалось.

Незнайка наконец очнулся от своих грёз.

– Солнышко! – закричал он, увидев, что солнце ярко сияет. – Солнышко! Солнышко!

И побежал во двор.

За ним побежали остальные коротышки. Все стали прыгать, и петь, и играть в салочки. Даже Знайка, который говорил, что ему безразлично, тучи на небе или солнышко, тоже прыгал от радости посреди двора.

А Незнайка моментально забыл и про дождь, и про слякоть. Ему стало казаться, что теперь уже никогда больше не будет на небе туч, а солнышко будет светить не переставая. Он даже про Бульку забыл, но потом вспомнил и спустил его с цепи. Булька тоже принялся бегать по двору. Он лаял от радости и всех хватал зубами за ноги, но не больно, потому что он никогда не кусал своих, а только чужих. Такой у него был характер.

Повеселившись немного, коротышки снова занялись делом, а некоторые отправились в лес за грибами, потому что после дождя обычно бывает много грибов.

Незнайка в лес не пошёл, а, усевшись возле беседки на лавочке, принялся читать книжку. Между тем Булька, который мог теперь бегать где хочется, нашёл в заборе дырку, пролез сквозь неё на улицу и, увидев прохожего с палкой в руках, решил покусать его. Известно, что собаки ужасно не любят, когда у кого-нибудь в руках палка. Увлёкшись чтением, Незнайка не слышал, как на улице раздался лай. Но скоро лай сделался значительно громче. Незнайка оторвался от книжки и только тут вспомнил, что забыл посадить Бульку обратно на цепь. Выбежав за ворота, он увидел Бульку, который яростно лаял на

прохожего и, стараясь забежать сзади, пытался укусить его за ногу. Прохожий вертелся на месте и усердно отмахивался от Бульки палкой.

– Назад, Булька! Назад! – закричал, испугавшись, Незнайка.

Но, видя, что Булька не слушается, он подбежал, схватил его за ошейник и оттащил в сторону.

– Ах ты змеёныш! Тебе говорят, а ты не слушаешь!

Незнайка как следует размахнулся рукой, чтоб стукнуть Бульку кулаком по лбу, но, увидев, что бедный пёсик заморгал глазами и пугливо зажмурился, пожалел его и, вместо того чтоб ударить,

потащил во двор. Посадив Бульку на цепь, Незнайка снова выбежал за ворота, чтоб узнать, не искусал ли он прохожего.

Прохожий, как видно, очень устал от борьбы с Булькой и поэтому присел на лавочке возле калитки и отдыхал. Только теперь Незнайка как следует разглядел его. На нём был длинный халат из красивой тёмно-синей материи, на которой были вышиты золотые звёзды и серебряные полумесяцы. На голове была чёрная шапка с такими же украшениями, на ногах – красные туфли с загнутыми кверху носками. Он не был похож на жителей Цветочного города, потому что у него были длинные белые усы и длинная, чуть ли не до колен, борода, которая закрывала почти всё лицо, как у Деда Мороза. В Цветочном городе ни у кого такой бороды не было, так как там все жители безбородые.

– Не укусила ли вас собака? – заботливо спросил Незнайка, с любопытством разглядывая этого странного старичка.

– Собака ничего, – сказал бородач. – Ничего себе пёсик, довольно шустренький. Гм!

Поставив палку между коленями, он опёрся на неё обеими руками и, скосив глаза, посматривал на Незнайку, который тоже присел на край лавочки.

– Это Пулькин пёс, его зовут Булька, – сказал Незнайка. – Пулька ходит с ним на охоту. А в свободное время Булька сидит на цепи, чтоб не покусал кого-нибудь. Он не укусил вас?

– Нет, голубчик. Чуть было не укусил, но всё-таки не укусил.

– Это плохо, – сказал Незнайка. – То есть плохо не то, что не укусил, а то, что он, наверно, испугал вас. Это я во всём виноват. Я его спустил с цепи, а потом забыл посадить обратно. Вы извините меня!

– Ну что ж, извиняю, – сказал бородач. – Я вижу, что ты хороший малыш.

– Нет, я только хочу быть хорошим. То есть раньше хотел. Я даже хорошие поступки совершал, а теперь бросил.

Незнайка махнул рукой и стал разглядывать красные туфли на ногах собеседника. Он заметил, что туфли застёгивались на пряжки, которые были сделаны в виде полумесяца со звездой.

– Почему же бросил теперь? – спросил старичок.

– Потому что всё это чепуха.

– Что чепуха – хорошие поступки?

– Нет, волшебники... Скажите, эти пряжечки у вас на туфлях позолоченные или же просто золотые?

– Просто золотые... Почему же ты считаешь, что волшебники – чепуха?

Незнайка принялся рассказывать о том, как мечтал о волшебной палочке, как Кнопочка рассказала ему, что нужно совершать хорошие поступки, и как у него ничего не вышло, потому что он был способен совершать хорошие поступки только ради волшебной палочки, а не бескорыстно.

– А вот ты сказал, что отпустил погулять Бульку, – разве ты это тоже сделал ради волшебной палочки? – спросил старичок.

– Что вы! – махнул Незнайка рукой. – Я и забыл тогда о волшебной палочке. Мне просто жалко было, что Булька всё время на привязи сидит.

– Значит, ты сделал это из хороших побуждений?

– Конечно.

– Вот и есть один хороший поступок!

– Удивительно! – воскликнул Незнайка и даже засмеялся от радости. – Сам не заметил, как хороший поступок совершил!

– А потом ты совершил ещё хороший поступок.

– Это когда же?

– Ты ведь защитил меня от собаки. Разве это скверный поступок? Или, может быть, ты его ради волшебной палочки делал?

– Нет! Я о волшебной палочке и не вспоминал.

– Вот видишь! – обрадовался старик. – Потом ты совершил третий хороший поступок, когда пришёл узнать, не искусала ли меня собака, и извинился. Это хорошо, потому что всегда нужно быть внимательным друг к другу.

– Чудеса в решете! – засмеялся Незнайка. – Три хороших поступка – и все подряд! В жизни со мной ещё таких чудес не бывало. Вот уж ничуточки не удивлюсь, если я сегодня волшебника встречу!

– И не удивляйся. Ты его уже встретил.

Незнайка подозрительно посмотрел на старичка:

– Вы, может быть, скажете ещё, что вы волшебник и есть?

– Да, я волшебник и есть.

Незнайка изо всех сил таращил глаза на старичка и старался разглядеть, не смеётся ли он, но борода так плотно закрывала его лицо, что невозможно было обнаружить улыбку.

– Вы, наверно, смеётесь, – недоверчиво сказал Незнайка.

– Совсем не смеюсь. Ты совершил три хороших поступка и можешь просить у меня что угодно... Ну, что тебе больше нравится: шапка-невидимка или сапоги-скороходы? Или, может быть, ты хочешь ковёр-самолёт?

– А у вас есть ковёр-самолёт?

– Как же! Есть и ковёр. Всё есть.

Старик вытряс из широкого рукава своего халата свёрнутый в трубку ковёр и, быстро развернув его, расстелил на земле перед Незнайкой.

– А вот сапоги-скороходы, вот шапка-невидимка...

С этими словами он вытащил из другого рукава шапку и сапоги и положил их на ковре рядышком. Вслед за этим таким же путём появились гусли-самогуды, скатерть-самобранка и разные другие таинственные предметы.

Незнайка постепенно убедился, что перед ним самый настоящий волшебник, и спросил:

– А волшебная палочка есть у вас?

– Отчего же нет? Есть и волшебная палочка. Вот, пожалуйста.

И волшебник достал из кармана небольшую круглую палочку красновато-коричневого цвета и протянул Незнайке. Незнайка взял палочку.

– А она настоящая? – спросил он, всё ещё не веря, что мечта его сбылась.

– Самая настоящая волшебная палочка, можешь не сомневаться, – уверил его волшебник. – Если не будешь делать плохих поступков, все твои желания будут исполняться, стоит только взмахнуть палочкой. Но как только совершишь три плохих поступка, волшебная палочка потеряет свою волшебную силу.

У Незнайки от радости захватило дыхание и сердце забилось в груди вдвое быстрей, чем надо.

– Ну, так я побегу скажу Кнопочке, что у нас теперь волшебная палочка есть! Ведь это она научила меня, как её достать, – сказал Незнайка.

– Беги, беги, – ответил волшебник. – Пусть Кнопочка тоже порадуется. Я ведь знаю, что она давно мечтает о волшебной палочке.

Волшебник погладил Незнайку рукой по голове, и Незнайке на этот раз удалось разглядеть на его добром лице широкую приветливую улыбку.

– Тогда до свиданья! – сказал Незнайка.

– Будь здоров! – усмехнулся в ответ волшебник.

Прижимая к груди волшебную палочку, Незнайка бросился бежать и, стараясь добраться до дома Кнопочки кратчайшим путём, свернул в переулок. Тут он вспомнил, что забыл поблагодарить волшебника за чудесный подарок, и стремглав побежал назад. Выбежав из переулка, он увидел, что улица совершенно пуста. Волшебника не было ни на лавочке, ни в каком-либо другом месте поблизости. Он исчез вместе с ковром-самолётом и другими волшебными предметами, словно провалился сквозь землю или растворился в воздухе.

ГЛАВА ЧЕТВЁРТАЯ

Незнайка и Кнопочка встречаются с Пачкулей Пёстреньким

Увидев, что теперь всё равно ничего не поделаешь и никак не исправишь этой досадной оплошности, Незнайка пошёл обратно к Кнопочке. Однако теперь он уже не спешил, даже время от времени останавливался посреди улицы, с досадой крутил головой, чесал затылок, что-то бормотал про себя и как-то по-особенному крякал, после чего снова продолжал путь.

Кнопочка играла на улице, неподалёку от своего дома, и, увидев приближавшегося Незнайку, побежала навстречу.

– Здравствуй, Незнайка! – радостно закричала она.

Незнайка остановился и, не ответив на приветствие Кнопочки, мрачно сказал:

– Теперь я уже не Незнайка, а просто длинноухий осёл.

– Что случилось? – забеспокоилась Кнопочка.

– А то и случилось, что волшебник дал мне палочку, а я ему даже спасибо не сказал, – вот!

– Какую палочку? – удивилась Кнопочка.

– Ну, «какую, какую»! Будто не знаешь, какие палочки бывают! Волшебную палочку!

– Ты, Незнайка, видно, спятил с ума. Выдумал какую-то волшебную палочку!

– И ничего я не выдумал. Вот она. Видишь?

И Незнайка показал Кнопочке палочку, которую крепко сжимал в руке.

– Что это? Обыкновенная палка, – с недоумением сказала Кнопочка.

– «Обыкновенная палка»! – передразнил Незнайка. – Молчала бы лучше, если не понимаешь! Мне её сам волшебник дал.

– Какой волшебник?

– «Какой волшебник, какой волшебник»! Будто не знаешь, какие волшебники бывают!

– Конечно, не знаю, – пожала плечами Кнопочка. – Представь себе, ни разу живого волшебника не видала.

– Ну, он такой, с бородой, а вот тут звёзды и полумесяцы... Булька лаял, а я три хороших поступка совершил, понимаешь?

– Ничего не понимаю! Ты лучше расскажи по порядку.

Незнайка принялся рассказывать обо всём, что случилось.

Кнопочка выслушала и сказала:

– А может быть, это кто-нибудь посмеялся над тобой! Нарочно волшебником нарядился.

– А откуда же волшебная палочка, если это был не волшебник?

– А ты уверен, что палочка на самом деле волшебная? Ты проверил?

– Нет, не проверил, но можно проверить.

– Чего же ты стоишь да рассуждаешь? Надо взмахнуть палочкой и высказать какое-нибудь пожелание. Если желание исполнится, то, значит, это настоящая волшебная палочка.

– А если не исполнится? – спросил Незнайка.

– Ну, если не исполнится, то, значит, это просто простая деревянная палка, и всё! Как ты сам этого не понимаешь! – с раздражением сказала Кнопочка.

Она нервничала, так как ей поскорей хотелось узнать, волшебная это палочка или нет, и она сердилась на Незнайку за то, что он до сих пор не догадался проверить.

– Ну ладно, – сказал Незнайка. – Сейчас попробуем. Чего мы хотим?

– Ну, чего тебе хочется? – спросила Кнопочка.

– Сам не знаю, чего мне хочется... Сейчас, кажется, ничего не хочется.

– Ну, какой! – рассердилась Кнопочка. – Ты придумай. Мороженого хочется?

– Мороженого, пожалуй, хочется, – согласился Незнайка. – Сейчас попросим мороженого.

Он взмахнул волшебной палочкой и сказал:

– Хотим, чтоб у нас было две порции мороженого!

– На палочке, – добавила Кнопочка.

Незнайка несмело протянул вперёд руку и даже зажмурился.

«А ну, как не появится никакого мороженого?» – подумал он и тут же почувствовал, что ему в руку ткнулось что-то твёрдое и холодное.

Незнайка сейчас же открыл глаза и увидел в руке порцию мороженого на палочке. От удивления он даже разинул рот и посмотрел вверх, словно стараясь узнать, откуда это мороженое свалилось. Не обнаружив вверху ничего подозрительного, Незнайка медленно повернулся к Кнопочке, держа мороженое в вытянутой руке и словно боясь, что оно исчезнет или улетит вверх. Кнопочка тоже стояла с мороженым в руке и радостно улыбалась.

– Мо-мо-мо-мо... – пробормотал Незнайка, показывая на мороженое пальцем.

Он хотел что-то сказать, но от волнения у него не получалось ни одного слова.

– Что «мо-мо-мо»? – спросила Кнопочка.

Незнайка только рукой махнул и принялся есть мороженое. Кнопочка последовала его примеру. Когда с мороженым было покончено, она сказала:

– Замечательное мороженое, правда?

– Чудесное! – подтвердил Незнайка. – Может, ещё попросим по порции?

– Давай, валяй, – согласилась Кнопочка.

Незнайка взмахнул палочкой и сказал:

– Хотим, чтоб у нас было ещё по порции мороженого!

Что-то тихонько щёлкнуло, прошуршало в воздухе, и в руках у Незнайки и Кнопочки снова по порции мороженого. Незнайка опять словно онемел на минуту. Однако на этот раз он гораздо быстрей пришёл в себя и, прикончив мороженое, спросил:

– Ещё попробуем?

– Пожалуй, можно ещё по штучке, – сказала Кнопочка.

– Э, чего там возиться – «по штучке»! – проворчал Незнайка и, взмахнув палочкой, сказал: – Хотим, чтоб был ящик с мороженым!

Бац! О землю стукнулся большой голубой ящик вроде тех, в которых мороженщицы носят мороженое. Незнайка открыл крышку, из-под которой сейчас же начал клубиться пар, и достал из ящика две порции мороженого. Закрыв ящик и усевшись на него, как на лавочку, Незнайка принялся грызть мороженое, которое оказалось гораздо твёрже и прохладнее предыдущего.

– Вот это мороженое! – похваливал он. – Зубы можно сломать!

– Интересно, эта палочка может только мороженое доставать или ещё что-нибудь? – спросила Кнопочка.

– Чудачка! – сказал Незнайка. – Это настоящая волшебная палочка, и она всё может. Хочешь шапку-невидимку – достанет шапку-невидимку; хочешь ковёр-самолёт – даст тебе ковёр-самолёт.

– Ну так давай попросим ковёр-самолёт и полетим путешествовать, – предложила Кнопочка.

Незнайке очень хотелось поскорей отправиться путешествовать, но он вспомнил, как страшно ему было летать на воздушном шаре, который сконструировал Знайка, и сказал:

– На ковре-самолёте не очень удобно путешествовать, потому что когда летишь вверху, то ничего не видишь внизу.

– Ну, тогда надо что-нибудь другое придумать, – сказала Кнопочка. – Я где-то читала, что бывают какие-то поезда... Ты сидишь, и ничего делать не надо, потому что тебя везёт паровоз по железной дороге.

– Это я знаю. Нам про железную дорогу Знайка рассказывал. Он её видел, когда ездил в Солнечный город за книжками. Но железная дорога тоже опасная вещь – там бывают крушения.

В это время Незнайка увидел Винтика и Шпунтика, которые проезжали по улице на своём новом автомобиле. Этот автомобиль был четырёхместный, с открытым кузовом, такой же, как предыдущий, который Незнайка сломал, когда вздумал покататься на нём. Но, в отличие от предыдущего, этот автомобиль был гораздо изящнее, и мотор у него был более мощный, так как работал он не на простой газированной воде, а на газированной воде с подогревом.

Увидев Незнайку и Кнопочку, Винтик и Шпунтик помахали им ручками. Незнайка стал кричать, что у него теперь волшебная палочка есть, но автомобиль так трещал, что Винтик и Шпунтик ничего не расслышали и, подняв тучу пыли, скрылись со своей машиной в конце улицы.

– Вот на чём мы поедем путешествовать! – воскликнул Незнайка.

– На автомобиле? – догадалась Кнопочка.

– Конечно!

– А забыл, как ты на автомобиле свалился с горы? И сам чуть не убился, и машину сломал!

– Э, чудачка! Да я ведь тогда управлять не умел.

– Будто теперь научился?

– А теперь мне и учиться не надо. Скажу палочке, что хочу уметь управлять, и сразу буду уметь.

– Ну, тогда что ж, – сказала Кнопочка. – Тогда поедем на автомобиле. Это действительно интереснее.

Незнайка взмахнул палочкой и сказал:

– Хотим, чтоб у нас автомобиль был, как у Винтика и Шпунтика, и чтоб я управлять умел!

Сейчас же в конце улицы показался автомобиль и быстро подъехал к Незнайке и Кнопочке. Незнайке даже показалось, что это снова Винтик и Шпунтик едут. Однако, когда автомобиль остановился, Незнайка увидел, что за рулём никого не было.

– Вот какая штука! – воскликнул он, оглядывая автомобиль со всех сторон.

Он заглянул даже под машину, воображая, что водитель нарочно спрятался внизу, чтоб подурачить его.

Никого не обнаружив, Незнайка сказал:

– Ну и что ж, ничего удивительного. Волшебство и есть волшебство!

С этими словами он открыл дверцу машины, поставил ящик с мороженым на заднее сиденье, а сам сел впереди за руль. Кнопочка села с ним рядом. Незнайка уже хотел включить мотор, но Кнопочка вдруг увидела, что к ним приближается какой-то малыш.

– Постой-ка,– сказала она Незнайке.– Как бы нам не задавить его...

Незнайка подождал, когда малыш подойдёт ближе, и увидел, что это был не кто иной, как всем известный Пачкуля Пёстренький.

Этот Пачкуля Пёстренький ходил обычно в серых штанах и такой же серенькой курточке, а на голове у него была серая тюбетейка с узорами, которую он называл ермолкой. Он считал, что серая материя – это самая лучшая материя на свете, так как она меньше пачкается. Это, конечно, чепуха и неправда. Серая материя пачкается, как и другие, только грязь на ней почему-то меньше заметна.

Необходимо упомянуть, что Пачкуля был довольно смешной коротышка. У него были два правила: никогда не умываться и ничему не удивляться. Соблюдать первое правило ему было гораздо трудней, чем второе, потому что коротышки, с которыми он жил в одном доме, всегда заставляли его умываться перед обедом. Если же он заявлял протест, то его просто не пускали за стол. Таким образом, умываться ему всё-таки приходилось, но это не имело большого значения, так как у него было свойство быстро запачкиваться. Не успеет он, бывало, умыться, как сейчас же на его лице появлялись какие-то грязные точечки, пятнышки и полосочки, лицо быстро теряло свой естественный цвет и становилось каким-то перепелесым. За это его и прозвали Пачкулей. Он так и остался бы на весь век с этим именем, если бы не один случай, который произошёл в то время, когда в Цветочный город приезжал знаменитый путешественник Циркуль.

Путешественник Циркуль также являлся достопримечательной личностью, о которой следует рассказать. Он был очень худой и длинный: руки длинные, ноги длинные, голова длинная, нос длинный. Брюки у него были клетчатые и тоже длинные. Жил этот Циркуль в городе Катигорошкине, где все жители никогда не ходили пешком, а только катались на велосипедах. Циркуль тоже всё время ездил на велосипеде. И такой это был заядлый велосипедист, что ему уже мало было ездить по своему городу, и он решил объездить все коротышечьи города, какие только были на свете.

Приехав в Цветочный город, он всюду колесил на своём велосипеде, всюду совал свой длинный нос и со всеми знакомился. Скоро он знал всех наперечёт и не знал только Пачкулю, которого жители нарочно прятали, потому что боялись, как бы он не опозорил их. Многим казалось, что если Циркуль увидит его грязную рожицу, то может подумать, что в Цветочном городе все коротышки такие грязнульки. Вот поэтому все и старались, чтоб Пачкуля не попадался Циркулю на глаза.

В общем, всё шло вполне хорошо до тех пор, пока Циркуль не собрался уезжать. В этот день присмотр за Пачкулей был почему-то ослаблен, и он вылез на улицу как раз в тот момент, когда жители прощались с Циркулем. Увидев в толпе коротышек незнакомую физиономию, Циркуль был несколько удивлён тем, что он его не знает, и хотел спросить: «А кто это у вас там такой грязный?» Но так как он был очень хорошо воспитанный коротышка и не мог употреблять таких грубых слов, как «грязный», то задал вопрос в более вежливой форме:

– А кто это у вас там такой пёстренький?

Все обернулись и увидели Пачкулю, у которого физиономия и на самом деле была пёстрой от грязи, так как в этот день он не умывался с утра. Всем очень понравилось это слово, и с тех пор Пачкулю стали называть Пёстреньким. Самому Пачкуле тоже нравилось, когда его называли этим именем, потому что оно звучало как-то изящнее и красивее, чем просто Пачкуля.

ГЛАВА ПЯТАЯ

Как Незнайка, Кнопочка и Пачкуля Пёстренький отправились путешествовать

– Эй, Пёстренький, здравствуй! – закричал Незнайка, когда Пачкуля подошёл совсем близко. – Гляди-ка, а у нас уже автомобиль есть.

– Эко диво! У Винтика и Шпунтика автомобиль ещё лучше вашего, – ответил Пачкуля.

Он остановился, сунул руки в карманы своих серых брюк и принялся разглядывать переднее колесо автомобиля.

– А вот и неправда, – сказала Кнопочка. – Этот автомобиль такой же, как у Винтика и Шпунтика. И кроме того, у Незнайки волшебная палочка есть.

– Подумаешь, невидаль! – снова ответил Пёстренький. – Я если захочу, у меня будет сто волшебных палочек.

– Почему же у тебя их нет? – спросил Незнайка.

– Потому что я не хочу.

Незнайка увидел, что его ничем не проймёшь, и сказал:

– Мы отправляемся путешествовать. Хочешь поехать с нами?

– Ладно, – согласился Пёстренький. – Уговорили.

Он открыл дверцу, залез в автомобиль и с важностью расселся на заднем сиденье.

– Ну, можно трогаться? – спросил Незнайка.

– Трогай, трогай! – сказала Кнопочка.

– Да, ты трогай, только не убивай до смерти, – прибавил Пёстренький.

Незнайка повернул ключик на щитке приборов автомобиля и нажал ногой на педаль стартера. Стартер взвизгнул, словно заскрёб по железу, и мотор застучал, работая на холостом ходу. Дав мотору прогреться. Незнайка выжал сцепление, включил коробку передач и, отпустив сцепление, дал газ. Машина тронулась. Незнайка спокойно вертел рулевое колесо, включал то первую скорость, то вторую, прибавлял и убавлял газ, заставляя машину ехать то быстрей, то медленней. Хотя он и сам не понимал, для чего переводит тот или иной рычаг, нажимает ту или другую педаль, но делал каждый раз то, что было нужно, и не ошибся ни разу. Это объяснялось, конечно, тем, что благодаря волшебной палочке он моментально выучился управлять автомобилем и управлял, как хороший шофёр, который даже не думает, что надо поворачивать и на что нажимать, а делает всё по привычке, машинально.

Проезжая по улицам, Незнайка нарочно нажимал кнопку сигнала и громко трубил, чтобы привлечь к себе внимание жителей. Ему хотелось, чтобы все видели, как он храбро сидит за рулём и ничего не боится. Однако жители Цветочного города думали, что это ездят Винтик и Шпунтик, и никто не обращал на Незнайку внимания.

Пока автомобиль колесил по городу, Кнопочка затеяла разговор с Пачкулей:

– Ты, Пёстренький, как видно, ещё не умывался сегодня?

– Ещё как умывался!

– Почему же грязный такой?

– Значит, снова запачкался.

– Придётся тебе ещё раз умыться, потому что мы такого грязного не можем в путешествие взять.

– Это как так – «не можем»? Сами уговорили ехать, а теперь вдруг – «не можем»! – возмутился Пёстренький.

Незнайка между тем выехал из города и, подъехав к Огурцовой реке, свернул на мост. В конце моста Кнопочка сказала:

– Ну-ка, останови машину. Сейчас Пёстренький будет умываться в речке.

Незнайка подъехал к берегу и остановил машину.

– Я протестую! – выходил из себя Пёстренький. – Нет такого правила, чтоб по два раза в день умываться!

– Ну, если не хочешь, то придётся тебе здесь остаться. Мы без тебя поедем, – строго сказал Незнайка.

– Это как – без меня? Что же я, по-вашему, должен обратно пешком тащиться? В таком случае, везите меня назад, туда, где взяли. Иначе я не согласен.

– Ну ладно, шут с ним, пусть едет грязный, – сказал Незнайка. – Не возвращаться же нам из-за него обратно!

– А если мы во время путешествия приедем в какой-нибудь чужой город и все увидят, что мы привезли с собой такого грязнульку? Нам же самим придётся за него краснеть, – сказала Кнопочка.

– Это верно, – согласился Незнайка. – Надо всё же умыться, Пёстренький. Давайте, друзья, все трое умоемся, а?

Услыхав, что умываться надо будет не ему одному, Пёстренький успокоился и сказал:

– Как же тут умываться? Ни мыла, ни полотенца нет.

– Не беспокойся, – ответил Незнайка. – Всё будет.

Он взмахнул волшебной палочкой, и сейчас же явилось три куска мыла и три полотенца. Пёстренький хотел удивиться, но вспомнил про своё правило ничему не удивляться и молча пошёл к реке.

Через несколько минут все трое уже были умыты и катили на автомобиле по лесу. Кнопочка по-прежнему сидела впереди, рядом с Незнайкой, а Пёстренький позади, рядом с голубым ящиком. Дорога была извилистая и не совсем гладкая. В некоторых местах из-под земли выступали толстые корни деревьев, иногда попадались рытвины и ухабы. В таких местах Незнайка заранее снижал скорость, чтоб не очень трясло. Кнопочка то и дело оборачивалась назад и с улыбкой поглядывала на Пёстренького. Ей нравилось, что он стал такой чистенький и румяный.

– Вот видишь, как хорошо, – говорила она. – Самому ведь приятно, когда умоешься.

Пёстренький сердито отворачивался в сторону и даже глядеть не хотел на Кнопочку.

– Ну, довольно дуться, это невежливо, – сказала Кнопочка. – Там у тебя рядом мороженое в голубом ящике.

– А, так это мороженое! – обрадовался Пёстренький. – А я-то гляжу, что за ящик?

Он достал из ящика три порции мороженого. Все принялись есть. Незнайке пришлось делать сразу два дела: есть мороженое и управлять машиной. Одной рукой он держал рулевое колесо, а в другой у него было мороженое, которое он старательно лизал языком. Увлёкшись мороженым, Незнайка не разглядел впереди ухаба и не успел вовремя снизить скорость. Машину тряхнуло так сильно, что Пёстренький подскочил кверху и нечаянно проглотил всю порцию мороженого сразу. В руках у него осталась только палочка.

– Ты, братец, потише! – сказал он Незнайке. – Из-за тебя я проглотил всё мороженое.

– Не беда, – ответил Незнайка. – Можешь взять себе другую порцию.

– Тогда ладно, – успокоился Пёстренький и достал из ящика новую порцию мороженого.

Кнопочка сказала:

– А ты, Незнайка, лучше не ешь мороженого. Это тебя отвлекает, и мы можем попасть в аварию.

– А ты тоже не ешь, – ответил Незнайка, – потому что меня это тоже отвлекает.

– Хорошо, я не буду, – согласилась Кнопочка.

– А я буду, потому что сижу сзади и никого не отвлекаю, – сказал Пёстренький.

Скоро они выехали из леса, и машина помчалась полем. Дорога шла в гору, и нашим путникам стало казаться, что они уже добрались до самого края земли, так как за горой, кроме неба, ничего не было видно.

– Надо было нам ехать в другую сторону, потому что с этой стороны земля уже кончается, – сказал Незнайка.

– Да, – подтвердил Пёстренький. – Немножко не рассчитали. Ты на всякий случай сбавь скорость, а то не успеешь затормозить, и мы полетим вверх тормашками. А лучше всего поворачивай, да поедем назад от греха подальше.

– Нет, – ответил Незнайка. – Я давно уже хотел посмотреть, что начинается там, где земля кончается.

Пока они разговаривали, подъём кончился, и перед глазами путешественников снова открылся широкий вид. Внизу расстилалась огромная долина, направо возвышались холмы, поросшие зелёной травой и густыми кустарниками. Вдали темнел лес. Вся долина пестрела золотыми одуванчиками, голубыми васильками... Особенно много было белых цветов, которые у коротышек назывались «берёзовой кашей». Этой «каши» было так много, что земля местами казалась покрытой снегом. Когда наши путники увидели перед собой столько красоты, у них даже дух захватило от радости.

– Оказывается, земля здесь ещё не кончается, – сказал Незнайка.

– Да, – подхватил Пёстренький. – Земля оказалась больше, чем мы предполагали. Таким образом, нами сделано важное научное открытие, и по этому случаю можно съесть ещё одну порцию мороженого.

С этими словами он запустил руку в голубой ящик, выудил из него новую порцию мороженого и принялся есть.

Дорога пошла под гору, и машина покатила быстрей. Вскоре начался новый подъём, и путешественникам опять стало казаться,

что они очутились на краю земли, но, как только подъём кончился, перед ними раскинулась новая ширь. Так повторялось несколько раз.

— Говорят, что земля бесконечная, и в какую сторону ни поедешь, всё равно до конца не доедешь, — сказала Кнопочка.

— Я думаю, это неправильно, — ответил Незнайка. — Мы, коротышки, очень маленькие и не можем охватить своим маленьким взглядом больших вещей, поэтому они и кажутся нам бесконечными.

— Я тоже так думаю, — подхватил Пёстренький. — По-моему, у всего есть конец. Вот, например, в этом ящике много мороженого, но у меня имеется подозрение, что и ему скоро придёт конец.

Беседуя таким образом, Незнайка и его спутники мчались всё дальше и не заметили, как домчались до перекрёстка дорог. Здесь Незнайка остановил машину, чтоб выяснить, куда ехать дальше: прямо, направо или налево. У перекрёстка стоял столб, а на нём были три стрелки с надписями. На стрелке, которая показывала прямо, было написано: «Каменный город». На стрелке, которая показывала налево, было написано: «Земляной город». И, наконец, на стрелке, которая показывала направо, — «Солнечный город».

– Дело ясное, – сказал Незнайка. – Каменный город – это город, сделанный из камня. Земляной город – это город из земли, там все дома земляные.

– А Солнечный город, значит, по-твоему, сделан из солнца – так, что ли? – с насмешкой спросил Пёстренький.

– Может быть, – ответил Незнайка.

– Этого не может быть, потому что солнце очень горячее и из него нельзя строить дома, – сказала Кнопочка.

– А вот мы поедем туда и увидим, – сказал Незнайка.

– Лучше поедем сначала в Каменный город, – предложила Кнопочка. – Очень интересно посмотреть на каменные дома.

– А мне хочется посмотреть на земляные дома. Интересно, как в них коротышки живут, – сказал Пёстренький.

– Ничего интересного нет. Поедем в Солнечный город – и всё, – отрезал Незнайка.

– Как – всё? Ты чего тут распоряжаешься? – возмутился Пёстренький. – Вместе поехали, – значит, вместе и решать должны.

Они стали решать вместе, но всё равно не могли ни до чего договориться. Наконец Кнопочка сказала:

– Лучше не будем спорить, а подождём. Пусть какой-нибудь случай укажет нам, в какую сторону ехать.

Незнайка и Пёстренький перестали спорить. В это время слева на дороге показался автомобиль. Он промелькнул перед глазами путешественников и исчез в том направлении, которое указывала стрелка с надписью «Солнечный город».

– Вот видите, – сказал Незнайка. – Этот случай показывает, что нам тоже надо ехать в Солнечный город. Но вы не горюйте. Сначала мы побываем в Солнечном городе, а потом можем завернуть и в Каменный и в Земляной.

Сказав это, он снова включил мотор, повернул руль направо, и машина помчалась дальше.

ГЛАВА ШЕСТАЯ

Приключения начинаются

После поворота дорога стала гораздо ровнее и шире. Было заметно, что автомашины здесь ездили чаще. Скоро навстречу нашим путешественникам попался автомобиль. Он промчался так быстро, что никто не успел как следует рассмотреть его. Через некоторое время их догнал другой автомобиль, и Незнайка увидел, что он был какой-то незнакомой конструкции: низенький, длинный, с блестящими фарами, выкрашенный в яркий зелёный цвет. Водитель высунулся из машины, с любопытством поглядел на Незнайкин автомобиль, после чего прибавил скорость и быстро исчез вдали.

Дорога вилась между холмами, шла то лесом, то полем. Неожиданно путешественники очутились перед рекой. Впереди засверкала вода, а над водой с одного берега на другой перекинулся мост. Посреди реки, рассекая носом волны, плыл пароход. У него была большая труба, а из трубы валили облака дыма.

– Смотрите, пароход! – закричала Кнопочка и захлопала в ладоши от радости.

Она ни разу не видала настоящего парохода, потому что не бывала нигде, кроме Цветочного города, а по Огурцовой реке пароходы не плавали. Однако Кнопочка сразу догадалась, что это пароход, так как часто видела его на картинках в книжках.

– Давайте остановимся и посмотрим, – предложил Незнайка.

Въехав на середину моста, Незнайка остановил машину. Все вылезли и, облокотившись о перила моста, стали глядеть.

На пароходной палубе находилось множество пассажиров-коротышек. Одни из них сидели на лавочках вдоль бортов и любовались красивыми берегами, другие беседовали между собой и даже

о чём-то спорили, третьи прохаживались. Были ещё и такие, которые мирно дремали, расположившись в мягких креслах с откидными спинками. В этих креслах очень удобно было сидеть, задрав кверху ноги.

Когда пароход проплывал под мостом, Незнайке, Кнопочке и Пёстренькому было очень хорошо видно всех пассажиров на палубе.

Неожиданно мост окутался клубами дыма, который вырывался из пароходной трубы. Незнайка закашлялся, задыхаясь в дыму, но всё-таки побежал на другую сторону моста, чтоб посмотреть вслед пароходу. Кнопочка и Пёстренький побежали за ним. Когда дым рассеялся, пароход уже был далеко.

Через минуту наши путники снова сидели в автомобиле и катили дальше. Незнайка всё время вспоминал про пароход и не переставал удивляться:

— Вот так пароход! Никогда бы не поверил, что такая громадина может по воде плавать.

Кнопочка тоже удивлялась. А Пёстренький сначала хотел удивиться, но потом вспомнил о своём правиле ничему не удивляться и сказал:

— Эко диво — пароход! Просто большая лодка.

— Ты бы ещё сказал: просто большое корыто! — ответил Незнайка.

— Зачем — корыто? Было бы корыто, я бы сказал — корыто, а я говорю — лодка.

— Слушай, Пёстренький, ты лучше меня не зли! Водителя нельзя нервировать, когда он за рулём сидит, а то случится авария.

— Значит, я должен говорить неправду, если ты за рулём сидишь?

— Какую неправду? Будто я учу тебя говорить неправду! — вспылил Незнайка. — Слушай, Кнопочка, скажи ему, а то я за себя не отвечаю!

– Замолчи, Пёстренький, – сказала Кнопочка. – Охота тебе по пустякам спорить!

– Хорошенькие пустяки: назвал пароход корытом! – кипятился Незнайка.

– Я сказал – лодка, а не корыто, – ответил Пёстренький,

– Ну, я прошу тебя, Пёстренький, перестань. Ешь лучше мороженое, – уговаривала его Кнопочка.

Пёстренький снова занялся мороженым и на время умолк.

Машина по-прежнему мчалась среди полей и лугов. Перед глазами путников открывались всё новые дали. Через некоторое время впереди показалась железная дорога, вдоль которой стояли телеграфные столбы с протянутыми между ними электрическими проводами. Вдали пыхтел паровоз и тащил за собой целую вереницу вагонов.

– Смотрите, поезд! Поезд! – закричала в восторге Кнопочка.

Она впервые видела поезд, но узнала его по картинке, так же как пароход.

– Глядите, действительно поезд! – удивился Незнайка.

Пёстренький, который и на этот раз решил не удивляться, оказал:

– Эко диво – поезд! Поставили домики на колёса, сами залезли в них и радуются, а паровоз тащит.

– Слушай, Кнопочка, что это такое? Опять он мне на нервы действует! – воскликнул Незнайка.

Пёстренький презрительно фыркнул:

– Подумаешь, какой нежный – «нервы»!

– Я вот как дам тебе! – разозлился Незнайка.

– Тише, тише! Что это за слово «дам»? – возмутилась Кнопочка.

– А чего он на меня говорит – нежный?

– Ты, Пёстренький, не должен называть его нежным, – сказала Кнопочка. – Это нехорошо.

– Что же тут нехорошего? – возразил Пёстренький.

— Вот как дам, так узнаешь, что нехорошего! — ворчал Незнайка. — Я за себя не отвечаю!

Дорога, по которой мчался автомобиль, пересекала железнодорожный путь, и Незнайка, заспорив с Пёстреньким, слишком поздно сообразил, что, переезжая через рельсы, он может угодить прямо под паровоз. Он решил ехать быстрей, чтоб успеть пересечь железную дорогу раньше, чем к этому месту подойдёт поезд, но чем ближе подъезжал к железнодорожной линии, тем яснее видел, что очутится на переезде одновременно с паровозом. Увидев, что паровоз совсем близко и что они несутся прямо под его колёса, Незнайка судорожно вцепился в рулевое колесо и сказал:

— Ну вот! Я ведь говорил, что авария будет!

Видя, что паровоз летит прямо на них, Кнопочка в ужасе сжалась в комочек и закрыла глаза руками. Пёстренький вскочил на ноги и, не зная, что предпринять, стукнул Незнайку кулаком по макушке и закричал:

— Стой, балбес! Что ты делаешь?

Сознавая, что тормозить всё равно поздно, и видя, что проскочить перед паровозом уже не удастся, Незнайка стал действовать рулём. В тот момент, когда казалось, что столкновение совсем неизбежно, он повернул вправо и выскочил со своей машиной на железнодорожное полотно перед паровозом. Автомобиль запрыгал по шпалам, а за ним следом, тяжело пыхтя, как огромное злое чудовище, мчался паровоз. Сидя сзади, Пёстренький чувствовал, как его обдаёт теплом от паровоза. Рядом с ним подскакивал на сиденье ящик с мороженым. Пёстренький боялся, как бы мороженое не выскочило из машины, поэтому держал одной рукой ящик, а другой держался за спинку сиденья.

— Незнаечка, миленький, поднажми! — дрожащим от страха голосом просил Пёстренький. — Честное слово, никогда с тобой больше спорить не буду!

Незнайка нажимал на все педали, но не мог увеличить скорости. Свернуть в сторону он тоже не мог, потому что железнодорожный путь шёл по крутой насыпи и съехать вниз было нельзя.

Почувствовав, что столкновения не произошло, Кнопочка открыла глаза и, обернувшись назад, увидела паровоз, который преследовал их по пятам. На паровозе тоже только в этот момент заметили автомобиль. Кнопочка видела, как из окна паровозной будки выглянул машинист-коротышка и даже разинул от удивления рот, когда обнаружил мчавшуюся впереди машину. Оторопев от испуга, он задёргал рычаг и стал давать тревожные гудки, потом открыл клапан, и из-под

колёс паровоза рванулся во все стороны пар. Боясь, как бы его не обожгло паром, Пёстренький спрятался под сиденье. Сбросив пар, машинист включил тормоз, и поезд начал понемногу замедлять ход. Автомобиль, двигаясь с прежней скоростью, стал уходить вперёд. Расстояние между ним и паровозом увеличилось, но Незнайка не замечал этого. Увидев, что впереди железнодорожная насыпь была не такая крутая, как прежде, он повернул в сторону, и машина ринулась вниз. Налетев на кочку, она внезапно остановилась, так что Кнопочка и Незнайка чуть не расшибли себе лбы, а Пёстренький по инерции вылетел из-под сиденья вместе с голубым ящиком. Пролетев над машиной кверху ногами, он шлёпнулся о землю и остался лежать неподвижно. Поезд в это время тоже остановился. Пассажиры выскочили из вагонов, стали спрашивать друг друга, что произошло, но никто ничего не знал. Некоторые из них спустились с насыпи и подбежали к Незнайке и его спутникам. Увидев, что Пёстренький лежит без движения, все окружили его. Кто-то сказал, что надо спрыснуть ему лицо холодной водой — тогда он очнётся. Но Пёстренький, как только услышал про холодную воду, так сейчас же вскочил на ноги, ошалело поглядел вокруг и спросил, заикаясь:

— А где мо-мо-мороженое?

— Мо-мо-мороженое здесь, — ответила Кнопочка, также заикаясь от пережитых волнений.

— То-то-тогда я спокоен, — ответил Пёстренький.

Он приободрился, поднял с земли ящик и поставил его обратно в машину. В это время с паровоза прибежал помощник машиниста.

— Все ли целы? — закричал он издали. — Никто не ранен?

— Никто, — ответил Незнайка. — Всё благополучно.

— Вот и хорошо, а то машинист до смерти перепугался, когда увидел, что вы впереди скачете. До сих пор не может в себя прийти, — сказал помощник.

— А вы куда едете? — поинтересовался Незнайка.

– Поезд идёт в Солнечный город, – ответил помощник.

– Мы тоже в Солнечный город, – обрадовался Незнайка.

– В таком случае вам нужно ехать по шоссе, – строго оказал помощник. – Кто же ездит на автомобиле по железной дороге?

– Да мы и ехали по шоссе, а Пёстренький сказал… То есть сначала мы смотрели на пароход… такой, знаете, большой пароход…

Незнайка начал подробно рассказывать про пароход и про то, как он поспорил с Пёстреньким, но в это время раздался паровозный свисток.

– Прошу прощения, – перебил помощник Незнайку, – нам пора идти, так как поезд не должен опаздывать. В другой раз мы с удовольствием послушаем ваш рассказ.

С этими словами он побежал к паровозу, который уже разводил пары. Пассажиры бросились к своим вагонам.

– Послушайте, в какой другой раз? – кричал Незнайка. – В другой раз мы ещё, может быть, и не встретимся!

Но никто не слушал его. Поезд тронулся, и некоторым коротышкам пришлось прыгать в вагоны на ходу.

– Ну вот! – обиженно воскликнул Незнайка. – Не могли подождать чуточку. Ведь самого интересного я и не рассказал!

ГЛАВА СЕДЬМАЯ

Путешествие продолжается

Вернувшись на шоссе, Незнайка, Кнопочка и Пёстренький продолжали прерванное путешествие. Пёстренький по-прежнему сидел позади и усиленно угощался мороженым. Он говорил, что очень переволновался, когда вылетел из машины, а мороженое успокоительно действует на него. Кнопочка вспоминала, как она испугалась паровоза, а Незнайка с увлечением рассказывал, как он сообразил в самый последний момент повернуть машину, чтоб избежать столкновения.

– Смотрю, – говорил он, – прямо под паровоз летим! Прибавить скорость нельзя, тормозить поздно. Ну, думаю, сейчас всем крышка!.. И вдруг мне в голову что-то ударило: повернуть надо...

– Это я тебя по голове ударил, – отозвался Пёстренький. – Я испугался, понимаешь...

– Понимаешь, ты опять меня злить начинаешь! – рассердился Незнайка.

– Ну, молчу, молчу! Теперь я знаю, что нельзя сердить водителя, когда он за рулём сидит.

В это время наших путников снова догнал автомобиль. Он был ярко-жёлтого цвета. В нём ехали двое коротышек. Тот, который сидел за рулём, нарочно замедлил ход, чтоб разглядеть Незнайкину машину. Коротышка, который сидел с ним рядом, внимательно посмотрел на Пёстренького и сказал с улыбкой:

– А тебе, голубчик, не мешало бы немножко умыться.

Они оба расхохотались, после чего водитель прибавил скорость, и машина ушла вперёд.

Незнайка и Кнопочка обернулись назад и увидели, что на щеках, на лбу, на носу и даже на ушах у Пёстренького появились грязные пятна и полосы.

– Что с тобой? – удивился Незнайка. – Ты ведь умывался недавно.

– Где же недавно? Совсем давно, – ответил Пёстренький.

– Но мы ведь вместе с тобой умывались. Почему мы чистые? – спросила Кнопочка.

– Сказала! – усмехнулся Пёстренький. – Вы впереди сидите, а я позади. Вот на меня вся пыль и летит.

– Если мы впереди, то на нас ещё больше пыли должно попадать, – сказал Незнайка.

– Ну, я не знаю, как это у вас там получается,– махнул рукой Пёстренький.

На самом деле, конечно, во всём была виновата пыль. Она не очень пристаёт к лицу, если оно не липкое, но у Пёстренького лицо было липкое, потому что он не переставая ел мороженое, которое таяло у него в руках и размазывалось по щекам, по носу, даже по ушам, оставляя всюду мокрые полосы. К этим полосам хорошо прилипала дорожная пыль. Полосы постепенно подсыхали вместе с прилипшей к ним пылью, и таким образом на лице получалась грязь.

– Придётся тебе, Пёстренький, снова умыться, как только встретится пруд или река, – сказала Кнопочка. – Вовсе не интересно, чтоб над нами каждый смеялся!

– А кто дал им право над нами смеяться? – возмутился Пёстренький. – Если б мы их догнали, то я показал бы им, как смеяться! Жаль только, что мы тащимся, как черепахи!

– Кто черепахи? Мы черепахи? – обиделся Незнайка.

– Конечно, – ответил Пёстренький. – Попробуй-ка, догони эту жёлтую машину! Видишь, как она далеко умчалась.

Жёлтый автомобиль на самом деле виднелся вдали маленькой точкой.

– Чепуха! – ответил Незнайка. – Сейчас догоним.

Он принялся переводить рычаги, нажимать кнопки, педали. Машина поехала быстрей, но всё же не могла догнать мчавшийся впереди жёлтый автомобиль.

– Ну, где нам тягаться с ними! – подзуживал Незнайку Пёстренький. – Не та система!

– Ничего, – отвечал Незнайка. – Вот увидишь! Сейчас я подогрев увеличу...

– Оставь лучше, Незнайка, а то снова в аварию попадём, – сказала Кнопочка.

– Успокойся, никуда мы не попадём, – беззаботно сказал Незнайка.

Незнайка увеличил подогрев. Это тоже не помогло. Вскоре, однако, дорога пошла под уклон. Водитель жёлтой машины стал слегка притормаживать, чтоб машина не очень разогналась на спуске.

Незнайка, наоборот, отпустил тормоза, и его машина стала катить всё быстрей и быстрей. Впереди, под горой, опять показалась река. Через неё вёл деревянный мост. Он был узенький, так что могли разъехаться только две машины. Вдобавок посреди моста неизвестно по какой причине остановился грузовик. Но Незнайка не обратил на него внимания и хвастливо сказал Пёстренькому:

– Сейчас догоню!

– Догони, догони! Я ему скажу, кому из нас надо умыться! – ответил Пёстренький.

Водитель жёлтой машины спустился на тормозах с горы, въехал на мост и остановился рядом с грузовиком, чтоб спросить водителя, почему произошла остановка и не нужна ли помощь.

Скатившись во весь опор с горы и влетев на мост, Незнайка неожиданно увидел, что обе машины загородили проезд и теперь уже нельзя было свернуть в сторону, так как мешали перила моста. От испуга у Незнайки похолодела спина. Тысяча вещей вспомнилась ему за одно мгновение, и дело кончилось бы, наверно, плачевно, если бы он не вспомнил тут же и о волшебной палочке. В тот момент, когда они уже были возле грузовика и Кнопочка в ожидании страшного удара снова закрыла руками глаза, Незнайка схватил волшебную палочку и, взмахнув ею, быстро сказал:

– Хочу, чтоб мы перескочили через эти машины!

Сейчас же автомобиль подскочил кверху, да так высоко, что у Незнайки захватило дух. Он глянул вниз и подумал:

«А ну как брякнемся с такой высоты! Пожалуй, и костей не соберёшь!»

И снова, махнув палочкой, он сказал:

– Хочу, чтоб мы летели, как на самолёте!

И сейчас же у автомобиля появились маленькие крылья, и он полетел над землёй, поднимаясь всё выше и выше. В то же время сзади послышался крик. Незнайка оглянулся и увидел, что Пёстренький вывалился из машины и болтался позади в воздухе, уцепившись руками за буфер. Взяв в зубы вол-

шебную палочку, Незнайка перелез через спинку переднего сиденья и, схватив Пёстренького за курточку, пытался втащить его обратно в машину. Но это оказалось ему не под силу, так как тащить можно было одной рукой, а другой рукой приходилось держаться за кузов машины. Увидев, что Пёстренький теряет последние силы, Незнайка хотел сказать Кнопочке: «Возьми у меня изо рта палочку и скажи, чтоб машина спустилась вниз». Но так как у него в зубах была палочка, то вместо этих слов получилось:

— Фожми у женя ижо вта фафочку и фы-фы-фы-фы…

Конечно, Кнопочка не могла ничего понять и спросила:

— Что?

— Фофофи, аф фы, фафыфка!

Незнайка так сердито сверкнул глазами, что Кнопочка сразу поняла, что эти слова должны были означать: «Помоги, ах ты мартышка!» Она быстро перелезла на заднее сиденье и помогла Незнайке втащить Пёстренького обратно в машину. Пёстренький уселся на своё место. Он так испугался, что на время у него отнялся язык. Незнайка снова сел за руль и, взглянув вниз, увидел, что они забрались на страшную высоту. Внизу узенькой лентой извивалась дорога, по которой они только что ехали. Почувствовав, что у него начинает перехватывать дыхание от бьющего в лицо ветра, Незнайка взмахнул палочкой и сказал:

— Хочу, чтоб мы опустились обратно на землю… Эй, эй! Только не так быстро! — закричал он, чувствуя, что машина ринулась вниз, словно провалилась в воздушную яму.

Машина стала снижаться плавно. Некоторое время она летела над дорогой, опускаясь всё ниже; наконец колёса коснулись земли, но так мягко, что не почувствовалось даже толчка. Крылья у машины исчезли. Пёстренький понемногу пришёл в себя и снова принялся за мороженое. Скоро наших путешественников догнал другой автомобиль. Шофёр повёл свою машину рядом с Незнайкой и затеял разговор.

– Это что за автомобиль, какой конструкции? – спросил он.

– Эта конструкция Винтика и Шпунтика, – ответил Незнайка.

– А на чём работает – на дёгте или мазуте?

– На газированной воде с сиропом. Из воды, понимаешь, выделяется газ, попадает в цилиндр и толкает поршень, который через передачу вертит колёса. А сироп для смазки, – объяснил Незнайка.

– То-то я еду сзади и чую, будто сиропом пахнет, – сказал шофёр.

– А твоя машина тоже на газированной воде? – спросил Незнайка.

– Нет, моя на спирту. В цилиндр, понимаешь, засасываются пары спирта и поджигаются электрической искрой. Пары, сгорая, расширяются и толкают поршень, а поршень вертит колёса. Чтоб мощность была побольше, в машине делают несколько цилиндров. У меня, например, четыре цилиндра, но бывают и восьмицилиндровые. Машина может работать и на бензине, но от бензина в воздухе остаётся не очень приятный запах. От спирта же никакого запаха не остаётся. А то есть машины, которые работают на мазуте, так те – фу-у!

Шофёр даже наморщил нос и покрутил головой.

– А Солнечный город далеко ещё? – спросила Кнопочка.

– Солнечный? Нет, теперь уже недалеко.

– А почему он называется Солнечный? Там дома, что ли, из солнца? – спросил Незнайка.

– Нет, – засмеялся шофёр. – Его назвали Солнечным потому, что там всегда хорошая погода и всегда светит солнце.

– Неужели никогда туч не бывает? – удивился Незнайка.

– Почему не бывает? Бывает, – ответил шофёр. – Но наши учёные придумали такой порошок: как только появятся тучи, их посыплют этим порошком, и они сразу исчезнут. Это всё, братец, химия!

– Как же тучи посыпать порошком?

– Ну, поднимутся вверх на самолёте и посыплют.

– Но без туч ведь и дождя не будет, – сказала Кнопочка.

– А для дождя есть другой порошок, – ответил шофёр. – Посыплют немножко этого порошка, и сейчас же начнётся дождь. Только дождь мы устраиваем там, где надо, – в садах, на огородах. В городе тоже устраиваем дождь, но только не днём, а ночью, чтоб никому не мешал. А если нужно цветы полить на улице, так просто поливаем из резиновой кишки.

– Видать, в Солнечном городе умные коротышки живут? – сказал Незнайка.

– О, в Солнечном городе все жители такие умные, что просто даже уму непостижимо!

– А вы тоже в Солнечном городе живёте? – спросила Кнопочка.

– Да, я тоже, – сказал шофёр.

Ответив так, он принялся обдумывать свои слова и, обдумав как следует, понял, что, расхвалив жителей Солнечного города, он расхвалил в их числе и самого себя. Смутившись от своего хвастовства, он покраснел, как редиска, и сказал, чтобы скрыть замешательство:

– Ну, мне пора. До свиданья! – И, нажав педаль, быстро укатил вперёд.

– Может быть, он хороший коротышка, а может, и просто хвастун, – сказал Незнайка. – Не очень верится, что он тут про порошок плёл.

Кнопочка сказала:

– Он покраснел под конец, а это значит, что у него совесть ещё не совсем пропала. А раз совесть есть, то он может ещё исправиться.

ГЛАВА ВОСЬМАЯ

Циркулина и Планетарка

Дорога опять пошла в гору, а когда подъём кончился, перед глазами путешественников открылась картина, которой никому из них раньше не приходилось видеть. Можно было подумать, что кто-то громадный забрался на текстильную фабрику и раскатал по земле тысячи рулонов пёстрых материй. Самые дальние холмы были как бы покрыты полосками ситца в мелкую крапинку – чёрную, белую, жёлтую, зелёную, красную. Ближе расположились полоски в горошину. Они лежали вплотную друг к дружке, так что закрывали всю землю. Ещё ближе земля была покрыта большими разноцветными кругами. Особенно ярко выделялись жёлтые и красные круги, которые так и сверкали среди зелёных полей.

– Будто кто-то нарочно расчертил землю циркулем и раскрасил, – сказала Кнопочка,

– Кому же это понадобилось расчерчивать землю циркулем? – ответил Незнайка. – Вот подъедем ближе – узнаем.

Чем ниже спускался автомобиль с горы, тем хуже становились видны круги, а потом и вовсе исчезли. Дорога, по которой мчалась машина, стала ровная, как лесная просека. По обеим её сторонам тянулись заросли мака. Это было похоже на то, как если бы мы с вами ехали по лесу, только здесь вместо древесных стволов стояли длинные зелёные стебли, а вверху так и сверкали на солнышке красные цветы мака. Потом машина поехала среди зарослей морковки, клубники, жёлтого одуванчика. Потом опять начались заросли мака.

– Здесь, наверно, какие-нибудь макоеды живут, – сказал Пёстренький.

– Это какие ещё макоеды? – спросил Незнайка.

– Ну, которые любят мак. Это они, наверно, посадили здесь всё: и мак и морковку.

– Кто же станет такую пропасть сажать? Этого и вовек не съешь.

Скоро автомобиль выехал из маковых зарослей, и наши путешественники увидали недалеко от дороги какую-то странную машину, напоминавшую не то механическую снегочистку, не то трактор. Эта снегочистка медленно ходила по кругу и косила траву. Незнайка даже остановил автомобиль, чтоб посмотреть, как она работает.

Подойдя ближе, наши путники увидели, что в передней части машины был механизм, напоминающий машинку для стрижки волос. Эта машинка непрерывно стригла траву, которая тут же попадала под нож. Этот нож непрерывно кромсал траву на кусочки, после чего она поступала на движущуюся ленту, уносилась вверх и попадала между двумя зубчатыми барабанами, которые быстро вращались и словно жевали её зубами. Пережёванная таким образом трава исчезала внутри механизма.

Земля позади машины оставалась вспаханной, поэтому можно было предположить, что внутри механизма имелся плуг, но снаружи его не было видно. Сзади были приделаны механические грабли, которые разрыхляли вспаханную землю на манер бороны. Сбоку на машине имелась надпись: «Циркулина».

Самое удивительное было то, что машиной никто не управлял. Место за рулём было пусто. Незнайка и его друзья старательно

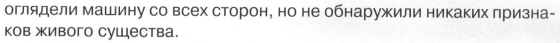

оглядели машину со всех сторон, но не обнаружили никаких призна-
ков живого существа.

– Вот так штука! – сказал Пёстренький.

Он уже хотел удивиться, но вовремя спохватился и замолчал.

Кнопочка, которая не особенно интересовалась
машинами, сказала, что уже пора ехать
дальше. Но Незнайка во что бы то ни
стало хотел дознаться, в чём тут
дело. Присмотревшись внима-

тельней, он заметил, что посреди поля стоял столб, вокруг которого был намотан металлический трос. Конец этого троса был привязан сбоку к машине, которая ходила, таким образом, по кругу, как на привязи. Трос постепенно разматывался и удлинялся, благодаря чему машина описывала всё более широкие круги.

– Ах, вот в чём тут дело!–обрадовался Незнайка.– Ну-ка, посмотрим, что будет, когда весь трос размотается.

Ждать пришлось не очень долго. Машина описала последний, самый большой круг, остановилась сама собой и стала давать гудки:

Ту-у! Ту-у! Ту-у!

Словно в ответ на эти гудки, откуда-то издали раздался свист. Гудки прекратились. Через минуту послышался стрекот, и наши путешественники увидели коротышку, который ехал на каком-то смешном мотоцикле на гусеничном ходу. Соскочив с мотоцикла, коротышка приветливо поздоровался с путешественниками и спросил:

– Вы, наверно, заинтересовались работой Циркулины?

– А что это – сенокосилка, что ли? – спросил Незнайка.

– Нет, это так называемый универсальный круговой самоходный посадочный комбайн, – сказал коротышка. – Этот комбайн срезает траву, потом вспахивает землю плугом, сажает зёрна при помощи имеющейся внутри механической сажалки и, наконец, боронит. Но это ещё не всё. Вы уже, наверно, заметили, что срезанная трава поступает внутрь комбайна. Там она измельчается, растирается, смешивается с химическим удобрением и тут же зарывается в землю, благодаря чему образуется так называемое комбинированное удобрение, очень полезное для растений. Вместе с удобрением в землю при вспашке вносится активированная подкормка, которая содействует более быстрому произрастанию растений, благодаря чему нам удаётся собирать два, три и даже четыре урожая за лето. Я забыл сказать, что в передней части машины, как раз за стригущим

устройством, имеется пылесос. Его назначение – всасывать семена сорняков, которые могут оказаться на земле вместе с пылью. Семена сорняков растираются жерновками и также идут на удобрение. В растёртом виде они уже прорасти не могут и поэтому не опасны для посевов. Таким образом, комбайн не только пашет, сеет и боронит – он ещё удобряет землю, вносит подкормку и борется с сорняками. Поэтому он и называется универсальным.

– А для чего машина привязана к столбу? – спросил Незнайка.

– Для того, чтоб она могла работать без машиниста, – сказал коротышка. – Трос, которым она привязана к столбу, присоединён к рулевому управлению. В зависимости от натяжения троса руль устанавливается таким образом, что машина делает большие или меньшие круги. Как только трос размотается полностью, машина автоматически останавливается и начинает давать гудки. Услышав гудки, машинист подъезжает к комбайну и переводит его на другой участок.

Сказав это, машинист-коротышка отцепил трос, сел за руль и подъехал на комбайне к другому столбу. Здесь он привязал комбайн к тросу, слез на землю и свистнул два раза в свисток. Комбайн зажужжал и начал вращаться вокруг столба, вспахивая землю.

— Вот интересно! — воскликнул Незнайка. — Неужели машина может понимать свистки? Откуда она знает, что нужно ехать, когда вы свистнете?

— Машина, конечно, ничего понимать не может, — сказал машинист. — Но если вы изучали физику, то должны знать, что звук передаётся при помощи колебаний воздуха. В механизме комбайна имеется прибор, который преобразует воздушные звуковые колебания в электрическую энергию, а при помощи электрической энергии уже можно включать тот или иной механизм комбайна. Так, например, при помощи одного свистка включается тормоз, при помощи двух свистков включается мотор. Три свистка включают механизм левого поворота, четыре – правого...

В это время откуда-то издали донеслись гудки:

Ту-у! Ту-у! Ту-у!

– О, – сказал машинист, – это Планетарка кончила работу! Надо спешить. Хотите увидеть Планетарку? Это недалеко, в минуту докатим.

Все согласились и уже хотели садиться в машину, но коротышка сказал, что лучше ехать всем на его мотоцикле. К удивлению путе-

шественников, у мотоцикла оказалось такое длинное сиденье, что на нём поместились все четверо. Первым сел машинист, за ним – Незнайка, потом – Кнопочка и самым последним – Пёстренький.

Коротышка включил мотор, и мотоцикл заскользил по земле с такой скоростью, что у всех захватило дыхание. Действительно, через минуту или полторы они были возле другого комбайна, который остановился, закончив обработку круглого поля. Действуя свистком, машинист перегнал машину к другому столбу и пустил в ход. Сбоку на машине было написано красивыми буквами: «Планетарка».

– Эта машина другой конструкции? – спросил Незнайка.

– Нет, конструкция точно такая же, – ответил машинист.

– Почему же та называется Циркулина, а эта Планетарка?

– У нас каждая машина имеет своё собственное имя, потому что это гораздо красивее, чем писать на машинах разные номера.

– А вы работаете одновременно на двух машинах? Так и ездите на своём мотоцикле от Циркулины к Планетарке? – спросила Кнопочка.

– Нет, в моём распоряжении десять машин: Эксцентрида, Концентрина, Рондоза, Циркулина, Улитка, Мельница, Вертушка, Орбита, Спутница и Планетарка.

– И вы успеваете присмотреть за всеми десятью? – удивилась Кнопочка.

– В этом ничего трудного нет. У меня остаётся время даже почитать книжку или просто погреться на солнышке. Но если сказать по правде, то машины эти уже устарели и имеют ряд недостатков.

– А какие у них недостатки? – заинтересовался Незнайка.

– Во-первых, у них очень маленький радиус действия, так как управление осуществляется при помощи троса. Трос же нельзя удлинять бесконечно. Поэтому машину приходится часто переводить с места на место и обрабатывать небольшие поля, что очень непроизводительно.

– А разве можно обойтись без троса? – спросил Незнайка.

– Конечно. В новейших современных машинах вместо троса употребляется радиомагнитная связь. В центре поля устанавливается сильный радиомагнит, то есть такой магнит, который действует на огромном расстоянии. Таким же радиомагнитом, но меньших размеров, оборудовано рулевое управление комбайна. Чем ближе оба магнита друг к другу, тем сильнее связь и тем больше поворачивается руль. Чем дальше магниты, тем связь меньше и тем меньше угол поворота руля. Таким образом, комбайн описывает сначала небольшие круги вокруг центрального радиомагнита, но с каждым оборотом круги делаются всё больше и могут достигать неограниченных размеров. Если хотите, я могу показать вам работу такого радиокомбайна.

– А это далеко? – спросила Кнопочка.

– Нет, совсем близко. Нам надо подняться вон на тот пригорок. С него всё видно.

Все с радостью согласились и, усевшись на гусеничный мотоцикл, поехали.

ГЛАВА ДЕВЯТАЯ

Радиолярия

Гусеничный мотоцикл отличается от обычного тем, что его движение осуществляется не посредством колёс, а при помощи гусеничного хода, подобно тому, как осуществляется движение гусеничного трактора. В отличие от трактора, у которого две гусеницы, мотоцикл имеет всего одну гусеницу, поэтому при езде на нём необходимо балансировать, как при езде на двухколёсном велосипеде. В то время как тракторные гусеницы изготовляются из металла, в мотоциклах употребляются резиновые гусеницы. Этим достигается необходимая плавность движения, большая скорость и исключительная проходимость машины. Гусеничный мотоцикл пройдёт по самой плохой дороге и даже там, где нет никакой дороги.

Обо всём этом рассказал нашим путешественникам их новый знакомый. Узнав, что они едут в Солнечный город, он очень обрадовался и сказал, что сам живёт в Солнечном городе, а зовут его Калачик.

Разговаривая с Калачиком, путники быстро домчались до холма и поехали вверх. Подъём был такой крутой, что Пёстренький, который сидел позади, начал съезжать с сиденья.

Наконец он почувствовал, что ему уже почти не на чем сидеть, и закричал:

— Эй, эй! Постойте! Я сейчас, кажется, падать буду...

Не успел он это сказать, как свалился. Не доехав до вершины холма, Калачик остановил машину и бросился на помощь Пёстренькому. Незнайка и Кнопочка побежали за ним. Увидев, что Пёстренький цел и невредим, все обрадовались, а Калачик сказал:

— Огромное преимущество гусеничного мотоцикла состоит в том, что благодаря отсутствию колёс сиденье находится низко, поэтому при падении вы не можете удариться так сильно, как если бы падали с обыкновенного мотоцикла.

Теперь наши путники снова находились на возвышенности, и им опять были видны круги, которые они наблюдали раньше.

– Ах, – закричала Кнопочка и даже в ладоши захлопала, – я догадалась! Круги на земле – это и есть поля, которые пашут ваши машины.

– Совершенно верно, – подтвердил Калачик. – Чёрные круги, которые вы видите вон там направо, – это недавно вспаханные поля. На них ещё ничего не выросло. Там, где уже появились всходы, круги зелёные. Красные круги – это маковые поля. Жёлтые круги – это цветущие одуванчики.

– А белые? – спросила Кнопочка.

– Белые – тоже одуванчики, но уже созревшие, с пушинками.

– А для чего вы сеете одуванчики? Их, что ли, едят? – удивился Незнайка.

– Нет, не едят, конечно, но из корней одуванчика добывают резину, из стеблей – различные пластические массы и волокнистые вещества для приготовления тканей, из семян – масло.

– Скажите, – спросил Пёстренький Калачика, – мне вот что немножечко непонятно: мне понятно, что цветные круги – это поля, на которых растут... ну, скажем, мак или одуванчики, а вон там вдали вся земля словно в горошинах – что это?

— То, что вам кажется небольшими горошинами, — это такие же круглые поля, только они далеко от
нас и поэтому кажутся маленькими.

— Ну, это каждому ясно, — сказал Пёстренький. — А вон там
дальше совсем какая-то дребезга: какие-то крапинки, точки...

— Это тоже круглые поля, но они ещё дальше от нас и поэтому
выглядят такими крошечными.

— Сколько же понадобилось машин, чтоб вспахать столько
полей? — спросила Кнопочка.

— Десять машин, — ответил Калачик.

– Десять машин?–удивился Незнайка. – Не может быть!

– Уверяю вас, – сказал Калачик. – Всё, что вы видите здесь вокруг, вспахали десять машин, которые находятся в моём распоряжении: Рондоза, Спутница, Планетарка… ну и остальные.

– Да ведь тут, наверно, тысяча полей!

– Нет, не тысяча, а гораздо больше. Вот считайте: одна машина может вспахать круглое поле за час. Если она будет работать десять часов в день, то вспашет десять полей. Все десять машин вспашут, следовательно, сто полей за один день. За десять дней получится в десять раз больше, то есть тысяча. Поскольку мы собираем за лето в среднем три урожая, период вспашки продолжается около ста дней. За сто дней, следовательно, получится ещё в десять раз больше, то есть десять тысяч полей.

– Десять тысяч полей! – воскликнул Незнайка. – Да это ведь больше, чем звёзд на небе! И всё вы один?

– Нет, я не один. Нас пятеро. Мы работаем в четыре смены, а пятый выходной.

– Ну, это всё равно, – махнул Незнайка рукой.

– Сейчас вы увидите работу ещё более удивительной машины, – ответил Калачик.

Путешественники снова сели на гусеничный мотоцикл и в одну минуту взлетели на вершину холма, за которым открылась широкая долина. На ней уже не было видно отдельных цветных кругов, горошин и крапинок. Всю долину занимал один огромнейший круг, который начинался недалеко от подножия холма и кончался вдали у опушки леса. Этот круг как бы состоял из отдельных колец и был похож на планету Сатурн, как её рисуют в книжках по астрономии. В центре было круглое белое здание, окружённое широким чёрным кольцом. Чёрное кольцо, в свою очередь, было опоясано золотисто-жёлтым кольцом, за ним следовало ещё более широкое кольцо – зелёное, и, наконец, снаружи было ещё одно, самое огромное, – чёрное кольцо.

– Всё это поле распахал один радиокомбайн, который сеет пшеницу, – сказал Калачик. – Весной он начал обрабатывать землю в середине, вокруг белого здания. Постепенно он захватывал всё более широкие круги. Через несколько дней в центре уже зазеленели всходы, потом пшеница заколосилась, потом начала созревать, а комбайн всё пахал и пахал. Сейчас в центре уже начал работать уборочный комбайн. Он так же ходит по кругу и убирает пшеницу, по мере того как она созревает. Видите чёрное кольцо земли вокруг белого здания? Там пшеница уже убрана. Жёлтое кольцо – это созревающая пшеница, зелёное кольцо – ещё не созревшая. Наружное чёрное кольцо – это вспаханная земля, на которой посевы ещё не взошли.

– А для чего белое здание в центре? – спросила Кнопочка.

– Это элеватор и мельница. Туда ссыпают зерно. Там оно перемалывается и хранится. На верхушке элеватора установлен радиомагнит. Вон видите – башенка вроде маяка?

– А где же сам радиокомбайн? – спросил Незнайка.

– Радиокомбайн – вон слева, на краю поля. Его плохо отсюда видно, но сейчас мы подъедем ближе.

Все снова сели на мотоцикл, спустились с холма и, промчавшись по краю вспаханного поля, остановились у комбайна, который с виду был похож на покрытый бронёй автобус с какими-то четырёхугольными воронками наверху. У этого автобуса не было ни окон, ни дверей, ни колёс, да к тому же он чуть ли не наполовину зарылся в землю. В передней части машины было широкое отверстие, сбоку имелся нож, который, по мере продвижения комбайна вперёд, подрезал землю. Две железные механические руки, как в снегоуборочной машине, всё время загребали подрезанную землю вместе с травой и заталкивали всё это в отверстие. Вверху над отверстием была надпись: «Радиолярия».

– Обратите внимание вот на что, – сказал Калачик. – Вы видите, что земля исчезает внутри комбайна, и больше ничего вы не видите.

– Совершенно верно, мы больше ничего и не видим, – подтвердил Пёстренький.

– Что же происходит внутри? – спросил Калачик и сам ответил: – Внутри земля разрыхляется, тщательно перемешивается с удобрением, подкормкой и посевным зерном. Помимо этого там же уничтожаются семена сорняков и личинки вредных насекомых.

– А как они уничтожаются? – спросил Незнайка.

– Личинки разрушаются при помощи ультразвуков, а семена сорняков просто поджариваются, после чего они теряют всхожесть. Теперь посмотрите на машину сзади. Здесь вы видите такое же широкое отверстие. Из него высыпается разрыхлённая земля, в которую, как я уже говорил, внесены семена, подкормка и удобрение. Таким образом, там, где пройдёт комбайн, земля остаётся вспаханной и засеянной. Машина работает круглые сутки – и днём

и ночью, и в дождь, и в жару, и в холод, что, конечно, очень производительно.

– Значит, за работой этой машины никто не следит? – спросил Незнайка.

– Нет, за работой Радиолярии тоже надо следить, но это осуществляется на расстоянии, – сказал Калачик. – Обратите внимание на зеркальный шар, который установлен впереди. Это шаровидный экран телевизионного передатчика. В нём отражается и сам комбайн, и всё, что происходит вокруг него. Отражение это при помощи телепередатчика передаётся на центральную станцию радиокомбайнов. Машинист, который находится на центральной станции, видит комбайн и всё, что делается вокруг, на таком же шаровидном экране телеприёмника. При помощи радиосигналов он может остановить машину, снова пустить в ход, повернуть её в ту или другую сторону, если вдруг понадобится обойти какое-нибудь препятствие.

– А зачем машинист сидит на центральной станции? Разве он не может сидеть здесь? – спросила Кнопочка.

– Если бы машинист управлял только одной машиной, то мог бы находиться и здесь, но он управляет шестнадцатью комбайнами,

которые работают на разных полях вокруг Солнечного города. На центральной станции установлено шестнадцать таких шаровидных телеприёмников, и машинист наблюдает одновременно, как идёт работа на каждом из шестнадцати комбайнов.

— А где находится центральная станция? — спросила Кнопочка.

— Центральная станция находится в Солнечном городе, на Западной улице.

— Вот интересно! — засмеялась Кнопочка. — Значит, на таком комбайне можно обрабатывать землю, не выезжая из города.

— Да, — подтвердил Калачик. — И заметьте, не на одном комбайне, а на шестнадцати в шестнадцати разных местах, которые находятся далеко друг от друга.

— Интересно, что видит машинист на шаровидном экране там, у себя на станции? — спросил Незнайка.

— Точно то же, что мы видим на этом зеркальном шаре. Смотрите, в нём отражается и передняя часть машины с механизмом, вся земля впереди и вокруг, всё небо и даже мы с вами. Всё это видит и машинист, сидя на станции. Вот поглядите, я сейчас дам сигнал машинисту, чтоб он остановил комбайн.

Калачик встал перед комбайном и поднял вверх руку. Комбайн в ту же минуту остановился, шум мотора утих, и чей-то громкий голос спросил, как из бочки:

— Что случилось?

— Ничего не случилось! — закричал Калачик. — Я хотел проверить, действует ли передатчик.

— Телепередатчик исправен, — ответил голос.

— Продолжайте работу, — сказал Калачик и отошёл в сторону.

Мотор зажужжал снова, и машина двинулась дальше.

— Вот интересно! — сказала Кнопочка. — Значит, эта машина не только видит, но ещё слышит и разговаривает.

— Разговаривает и слышит не машина, а машинист, — ответил Калачик. — На машине установлены громкоговоритель и микрофон.

Через микрофон передаются сигналы на станцию по радио, а со станции сюда. Если машинист включит радиосвязь, то услышит, о чём мы тут говорим, а мы услышим через громкоговоритель, что говорит он.

— Ничего удивительного, — сказал Пёстренький. — Это вроде как телефон.

— А на чём эти комбайны работают — на спирте или, может быть, на атомной энергии? — спросил Незнайка.

— Не на спирте и не на атомной энергии, а на радиомагнитной энергии, — ответил Калачик.

— Это что за энергия такая?

— Это вроде электрической энергии, только электричество передаётся по проводам, а радиомагнитная энергия — прямо по воздуху.

— И ещё один вопрос меня интересует, — сказал Незнайка. — Вы говорите, что машинист на центральной станции видит всё, что отражается в этом зеркальном шаре, а я тоже здесь отражаюсь, значит, он и меня видит?

— Конечно, — подтвердил Калачик.

Незнайка стал думать, что выйдет, если он вдруг возьмёт да покажет машинисту язык.

Ведь машинист так далеко, что ничего даже сделать не сможет. Подойдя к шару поближе, Незнайка выбрал момент, когда на него никто не смотрел, и высунул язык да ещё гримасу скорчил.

– Фу, как не стыдно язык показывать! – загремел голос из громкоговорителя.

Незнайке стало стыдно. Он захихикал, чтоб скрыть смущение, и пробормотал:

– Я хотел проверить, видит меня машинист или нет, а он, оказывается, видит.

– Видит, видит, теперь ты можешь не сомневаться, – ответил Пёстренький. – А мне непонятен только один вопрос: я вот понимаю, какая это радиомагнитная энергия, и как управляется машина на расстоянии, и как машинист видит и слышит, что хочет, понимаю даже, как разрыхляется в комбайне земля, как смешивается она с семенами, но вот откуда в комбайне берутся эти самые семена и вдобавок ещё удобрение – этого я никак себе в толк не возьму!

– Ну, это объясняется очень просто, – засмеялся Калачик. – Два раза в сутки сюда привозят на грузовиках семена, подкормку и удобрение и засыпают в имеющиеся в верхней части комбайна отверстия.

– Тогда действительно нечему удивляться! – воскликнул Пёстренький. – Вот если бы семян не засыпали в комбайн, а они сами из него сыпались да сыпались – тогда было бы удивительно!

На этом осмотр комбайна окончился, и наши путешественники отправились в обратный путь. На этот раз Калачик объехал холм стороной, чтобы Пёстренький опять не свалился с мотоцикла на подъёме.

ГЛАВА ДЕСЯТАЯ

Как Незнайка, Кнопочка и Пёстренький прибыли в Солнечный город

Через несколько минут Незнайка, Кнопочка и Пёстренький уже сидели в своём автомобиле и, попрощавшись с Калачиком, катили навстречу новым приключениям. Круглые поля скоро кончились, и по сторонам дороги стали попадаться дома. Они были маленькие, не больше двух этажей, но очень красивые: с высокими остроконечными крышами, окрашенными в яркие цвета, с верандами и террасками, с балкончиками и затейливыми башенками на крышах. Во дворах были устроены беседки и цвели всевозможные цветы.

Чем дальше ехали путешественники, тем чаще попадались дома. Шоссе незаметным образом превратилось в широкую городскую улицу. Дома по сторонам становились всё выше. Всё больше появлялось коротышек на тротуарах и автомобилей на мостовой. Скоро машины двигались по улице непрерывным потоком, мешая друг другу и останавливаясь на перекрёстках. Здесь были такие машины, которые Незнайка и его спутники уже видели, но были и такие, с которыми они встретились в первый раз. Особенно много было автомобилей, напоминавших по своей форме игрушечные деревянные лошадки. Эти автолошадки были на четырёх ножках, оканчивающихся внизу роликами. Ездили на них сидя верхом, сунув в стремена ноги и держась руками за уши. Вместо глаз у них были фары, то есть осветительные фонари, а вместо рта – сигнальная труба, чтоб пугать зазевавшихся пешеходов. На таких автолошадках ездили по одному и по двое – один впереди, другой сзади, но были и четырёхместные, то есть такие, в которых две лошадки ставились рядом и соединялись попарно.

Кроме автолошадок, здесь были ещё так называемые спиралеходы. У этих машин вместо колёс сделан винт, или спираль, вроде как у мясорубки. Когда винт вертится, машина двигается вперёд. Эти машины довольно неповоротливы, к тому же при вращении спирали их сносит в сторону. Этих недостатков, впрочем, не имеют спиралеходы, снабжённые двумя спиралями, которые вращаются в разных направлениях. Благодаря этому машину не сносит в сторону, и, кроме того, она гораздо оперативнее на поворотах, так как для осуществления поворота достаточно притормозить спираль с той стороны, куда хотят повернуть, в то время как в машинах с одной спиралью нет боковых тормозов, и, для того чтобы повернуть, надо

притормаживать просто ногой об землю, а от этого очень быстро изнашиваются ботинки.

Ещё здесь можно было увидеть так называемые реактивные роликовые труболёты. Эта машина представляет собой длинную трубу на четырёх роликах. Труба наполняется реактивным топливом. Топливо сгорает внутри, и сгоревшие газы выбрасываются через хвостовую часть трубы, благодаря чему труба катится вперёд на роликах. Поворот осуществляется при помощи руля, который имеется сзади. Вырывающиеся из хвостовой части горячие газы ударяют в плоскость руля, и труболёт поворачивает куда надо. Эти труболёты не очень удобны для езды летом, потому что сидеть приходится верхом на трубе, которая при быстром движении сильно нагревается; зато зимой эта машина просто незаменима, так как вместо имеющихся внизу роликов ставятся полозья, и труболёт развивает такую головокружительную скорость, что даже перелетает через

небольшие овраги; к тому же на нём сидишь, как на тёплой печке, что особенно приятно в большой мороз.

Кроме вышеописанных, были тут ещё гусеничные велосипеды, и мотоциклы, и другие машины – как на колёсном, так и на гусеничном ходу. У Незнайки, который страшно интересовался разными машинами и механизмами, разбегались глаза. Из-за этого он чуть не столкнулся со встречной машиной и сказал:

– Прогуляемся лучше пешком, а то ничего и не разглядишь, пожалуй...

Он свернул к тротуару и остановил машину. Друзья вылезли из неё и зашагали по улице, глядя по сторонам. А вокруг было на что посмотреть. По обеим сторонам улицы стояли многоэтажные дома, которые поражали своей красотой. Стены домов были украшены затейливыми узорами, а наверху под крышами были большие картины, нарисованные яркими, разноцветными красками. На многих домах стояли фигуры различных зверей, вытесанные из камня. Такие же фигуры были внизу, у подъездов домов.

По тротуару двигались толпы гуляющих малышей и малышек. Слышались смех и шутки. Откуда-то доносилась музыка.

Пройдя несколько шагов, наши путешественники увидели дом не совсем обычной архитектуры. Этажи этого дома были расположены уступами, то есть как бы ступеньками, так что жильцы второго этажа могли ходить по крыше первого этажа, жильцы третьего этажа свободно гуляли по крыше второго, и так далее. В этом доме вместо лифта был устроен эскалатор, то есть движущаяся лестница, по которой можно было подниматься на самый верхний этаж. Для того чтоб спускаться вниз, с другой стороны дома имелся спуск в виде жёлоба, по которому можно было съезжать, сидя на коврике. Эти коврики лежали в достаточном количестве внизу возле эскалатора. Каждый, кто поднимался по эскалатору, захватывал с собой коврик, чтоб съехать на нём, когда понадобится спуститься вниз.

Наши путешественники долго смотрели, как поднимались по эскалатору жильцы, возвращавшиеся домой, и спускались на ковриках те, которые выходили из дома.

– Как ты думаешь, Пёстренький, что лучше: подниматься на движущейся лестнице или спускаться на коврике? – спросил Незнайка.

– Надо попробовать и то и другое, а тогда можно будет решить, – сказал Пёстренький.

– Это ты верно придумал! – обрадовался Незнайка. – Попробуем.

– А не страшно? – спросила Кнопочка.

– Ничего страшного! Другие же ездят. Ну, берите коврики.

Все взяли по коврику. Незнайка первый вскочил на ступеньку движущейся лестницы, а за ним Пёстренький с Кнопочкой. Через минуту они уже были наверху и, удачно соскочив с эскалатора, направились по плоской крыше предпоследнего этажа к спуску.

– Ну-ка, отойди в сторону, я скачусь, – сказал Незнайка Пёстренькому и подошёл к жёлобу.

– Почему ты первый? – удивился Пёстренький. – Кто придумал скатываться? Я придумал, я и скачусь.

Пёстренький оттолкнул Незнайку, поскорей положил в жёлоб коврик и уже хотел сесть на него, но коврик неожиданно соскользнул вниз. Пёстренький хотел схватить его, но не удержал равновесия, упал в жёлоб вниз головой и понёсся за ковриком, скользя на животе и замирая от страха. Через секунду он уже был внизу, вылетел на середину тротуара и поднял тучу пыли.

– Ну вот! –проворчал он, поднимаясь на ноги. – Совершил полёт в мировое пространство!

– Ну как, хорошо скатился? – закричал сверху Незнайка.

– Замечательно! – ответил Пёстренький, отплёвываясь от пыли. – Теперь ты попробуй.

Незнайка положил свой коврик на дно жёлоба, осторожно сел на него и поехал. Спуск был неравномерный. Наклон его то увеличи-

вался, то уменьшался. Такое уменьшение наклона имелось на каждом этаже, для того чтоб удобнее было делать посадку. Как только наклон увеличился, Незнайка помчался со страшной скоростью. Испугавшись, он принялся хвататься руками за стенки жёлоба. От этого коврик из-под него выскользнул и понёсся вниз самостоятельно, а Незнайка покатил за ним на своих собственных брюках.

Удачнее всех скатилась Кнопочка. Она аккуратно уселась посреди коврика и, когда ехала вниз, не хваталась руками за стенки. Поэтому у неё всё получилось как нельзя лучше.

Решив когда-нибудь снова прийти сюда и покататься побольше, путешественники отправились дальше.

Нужно сказать, что улицы в Солнечном городе были гораздо шире, чем в других коротышечьих городах, причём особенно широкие были тротуары. В каждом доме имелась столовая. Столы стояли не только внутри столовых, но и снаружи, на тротуарах. Везде за столами можно было видеть коротышек. Одни обедали, пили чай, кофе или ситро; другие читали газеты, рассматривали журналы с картинками; третьи играли – кто в лото, кто в домино, кто в гусёк или ещё во что-нибудь. Особенно много было шахматистов, которых можно было увидеть повсюду, где имелась возможность примоститься с шахматной доской. Тут же посреди улицы шла игра в прятки, пятнашки, чижики, классы, кошки-мышки и другие подвижные игры.

При каждой столовой имелась игротека, где хранились настольные игры. Помимо этого во многих домах были так называемые прокатные пункты, где выдавались напрокат велосипеды, самокаты, теннисные ракетки, футбольные и волейбольные мячи, кегли, пинг-понг, городки… Играющих во все эти игры можно было видеть повсюду: в скверах, на специальных площадках и во дворах. Хотя если сказать по правде, то дворов в Солнечном городе не было, то есть, вернее сказать, они были, но между ними не было ни оград, ни заборов; ворота никогда не запирались, потому что и ворот-то никаких не было. Если и попадались местами низенькие загородки, то делались они для защиты растений, а не для того, чтоб загородить кому-нибудь дорогу.

Такое отсутствие заграждений очень способствовало устройству во дворах теннисных кортов, беговых дорожек, плавательных бассейнов, футбольных, волейбольных, баскетбольных, крикетных, городошных и разных других площадок. Коротышки могли свободно переходить из своего двора в другие и играть с соседями в разные игры, что очень способствовало укреплению здоровья и развитию мускулов.

Больше всего нашим путешественникам понравилось то, что почти в каждом доме имелся театр или кино. Особенно много было кукольных театров. Чуть ли не на каждом шагу пестрели надписи: «Большой кукольный театр», «Малый кукольный театр», «Театр марионеток», «Кукольная комедия», «Весёлый Петрушка» и другие. Для того чтоб зрителям не было летом жарко, в театрах были устроены двухсторонние сцены с двумя занавесами. Одной стороной сцена выходила в зрительный зал, а другой стороной – на улицу. Таким образом, спектакль можно было смотреть зимой из зала, а летом прямо с улицы или со двора. Надо было только повернуть в другую сторону декорации, вынести из зала стулья и поставить на открытом воздухе.

Незнайка во все глаза смотрел на всё, что творилось вокруг, и то и дело сталкивался с прохожими. Это его очень сердило. Обычно прохожий, столкнувшись с Незнайкой, говорил «извините», а Незнайка, вместо того чтоб вежливо ответить «пожалуйста», сердито ворчал:

– Да ну вас к лешему!

– Это нехорошо, – сказала ему Кнопочка. – Если перед тобой извиняются, ты должен сказать «пожалуйста».

– Ещё чего захотела! – ответил Незнайка. – Если каждому говорить «пожалуйста», то дождёшься, что кто-нибудь и на голову сядет!

В это время они подошли к высокому дому с балконами, которые были соединены между собой верёвочными лестницами. Такие же лестницы были протянуты к балконам из окон верхних и нижних этажей. Эти лестницы да ещё верёвки, которые тянулись во всех направлениях, придавали дому вид оснащённого, готового к плаванию корабля. В доме этом жили пожарные, которые постоянно тренировались, лазая по верёвкам и лестницам.

Незнайка загляделся на этот диковинный дом, а так как дом был большой, то Незнайке пришлось задрать голову слишком высоко. От этого шляпа слетела с его головы. Он нагнулся, чтоб поднять шляпу, но тут вдруг случилось непредвиденное происшествие. Как раз в это время по улице шёл малыш, по имени Листик, и читал на ходу книжку, которая называлась «Удивительные приключения замечательного гусёнка Яшки». Этот Листик был из тех книгоглотателей, которые могут читать книги в любых условиях: и дома, и на улице, и за завтраком, и за обедом, при свете и в темноте, и сидя, и лёжа, и стоя, и даже на ходу.

Увлёкшись книгой и не заметив, что Незнайка нагнулся за шляпой, Листик наткнулся на него и упал. Падая, он повалил Незнайку и больно стукнул его по голове ногой.

— Ну вот, уже начинают садиться на голову! — закричал Незнайка. — Ах ты осёл!

— Кто осёл? Я осёл? — спросил, поднимаясь, Листик.

— А то кто же? Может быть, я? — продолжал кричать Незнайка.

— Не могу с вами согласиться, — вежливо сказал Листик. — Осёл — это животное на четырёх ножках с длинненькими ушами...

— Вот вы и есть животное на четырёх ножках!

— Нет, это вы, наверно, животное на четырёх ножках!

— Я животное на четырёх ножках? — вспылил Незнайка. — Я вам докажу, кто из нас на четырёх ножках!

– А ну, докажите, докажите!

– И докажу!

– Врёте! Ничего не докажете!

– Ах, вру! Значит, я вру? – кричал Незнайка, задыхаясь от ярости. Он тут же взмахнул волшебной палочкой и сказал: – Хочу, чтоб вот этот коротышка превратился в осла!

– Мало ли… – начал Листик.

Он хотел сказать: «Мало ли чего вы хотите», но как раз на этом слове превратился в осла и, взмахнув хвостом, зашагал прочь, постукивая по тротуару копытами. Книжка, которую он уронил, так и осталась лежать посреди тротуара. Прохожих в это время поблизости не оказалось, и никто не видел этого необычайного происшествия. Кнопочка и Пёстренький не заметили, что Незнайка зазевался перед домом с верёвочными лестницами, и ушли вперёд. Когда Незнайка догнал их, они стояли перед высоким домом с большой надписью поперёк стены: «Гостиница «Мальвазия».

– Вот тут мы и остановимся, – сказала Кнопочка. – Путешественники всегда в гостиницах останавливаются.

Трое наших друзей направились к подъезду гостиницы.

ГЛАВА ОДИННАДЦАТАЯ

Когда кончился день

Очутившись у входа в гостиницу, наши путешественники поспешили посторониться, так как дверь неожиданно распахнулась, будто кто-то открыл её изнутри. Увидев, что из дома никто не выходит, Незнайка и его спутники вошли в помещение, и дверь сейчас же за ними захлопнулась. Путешественники испуганно огляделись по сторонам. Направо была широкая лестница, налево стоял стол и несколько кресел. Прямо перед ними была чёрная дверь в стене. Неожиданно на этой чёрной двери вспыхнул белый телевизионный экран. На нём появилось изображение малышки. Она была круглолицая, розовощёкая и светловолосая. Её причёску украшали два

больших чёрных банта. На ушах у неё были радионаушники, На столе стоял микрофон. Малышка приветливо улыбнулась и сказала:

– Прошу вас подойти ближе.

Незнайка и его друзья несмело приблизились,

– Вы хотите остановиться в гостинице? – спросила малышка и, не дождавшись ответа от растерявшихся путешественников, продолжала: – Свободные номера имеются на пятом этаже. Прошу вас войти в эту дверь и подняться на лифте.

Улыбнувшись ещё раз, малышка исчезла с экрана. Чёрная дверь, на которой находился экран, отворилась. Незнайка, Кнопочка и Пёстренький вошли в неё и очутились в кабине лифта. Дверь тут же захлопнулась, и кабина начала подниматься вверх. На пятом этаже она остановилась, и дверь отворилась снова. Путники вышли в коридор, и сейчас же на стене перед ними вспыхнул экран, на котором появилось улыбающееся лицо той же малышки.

– Ваш номер девяносто шестой, в конце коридора направо, – сказала она. – Но сначала прошу каждого записать своё имя в тетради, которая лежит на столе перед вами.

Незнайка раскрыл лежавшую на столе тетрадь, прочитал написанные в ней на последней страничке имена, потом взял ручку и написал с самым серьёзным видом: «Автомобильный путешественник Незнам Незнамович Незнайкин». Увидев эту подпись, Пёстренький даже фыркнул от удовольствия, потом на минуту задумался, почесал кончик носа и, взяв со стола ручку, старательно вывел в тетради: «Иностранец Пачкуале Пестрини». И только Кнопочка без всяких фокусов записала своё коротенькое имя в тетради.

Покончив с этим делом, наши друзья отправились по коридору мимо множества дверей. Увидев дверь, на которой было написано «№ 96», Кнопочка сказала:

– Номер девяносто шесть. Нам сюда.

Незнайка отворил дверь, и все очутились в просторной прихожей. На противоположной стене снова вспыхнул экран, и на нём появилась всё та же улыбающаяся малышка.

– Вот вы и дома, – сказала она. – Хотите отдохнуть с дороги? Налево от вас дверь в комнаты. Заходите и располагайтесь без церемоний. Свои шляпы можете повесить здесь в прихожей на вешалке или в шкафу, который находится перед вами. Это усовершенствованный шкаф-пылесос. Он чистит одежду и автоматически высасывает из неё пыль. Направо дверь в ванную комнату. Может быть, кто-нибудь из вас хочет принять душ или ванну или хотя бы просто умыться? – спросила она, с улыбкой глянув на Пёстренького.

– Мы ваше предложение обсудим, – ответил Пёстренький.

– Вот-вот, обсудите, пожалуйста! У кого-нибудь есть вопросы?

– У меня есть, – сказал Пёстренький. – Кто вы, где вы и как вас звать?

– Я дежурный директор гостиницы, нахожусь в директорском кабинете, а звать меня Лилия.

– А меня Пёстренький, то есть... тьфу!.. Пачкуале Пестрини – вот!

– У меня тоже вопрос, – сказал Незнайка. – Как включить шкаф-пылесос?

– Его включать вовсе не надо. Стоит вам положить в шкаф свои вещи и закрыть дверцу, как механизм пылесоса автоматически включится. Ещё есть вопросы?

– Пока больше нет, – ответил Незнайка.

Лилия кивнула головой Незнайке и Кнопочке, потом перевела взгляд на Пёстренького, широко улыбнулась и исчезла с экрана.

– Интересно, почему она всё время улыбается? – спросил Пёстренький. – Как посмотрит на меня, так сейчас же и улыбнётся.

– Ясно почему, – ответила Кнопочка. – Как увидит, какой ты у нас чистенький, так и не может удержаться от смеха.

Незнайка между тем заинтересовался устройством шкафа-пылесоса. Открыв дверцу, он заглянул внутрь и увидел, что пол, стены и потолок шкафа были сплошь в мелких дырочках и своим видом напоминали пчелиные соты. Незнайка положил в шкаф волшебную палочку, повесил на крючок шляпу, после чего закрыл дверцу и стал прислушиваться. Из шкафа доносилось приглушённое гудение, словно из пчелиного улья. Незнайка открыл шкаф – гудение прекратилось; закрыл – гудение снова послышалось.

– Ну-ка, Пёстренький, сейчас мы проделаем опыт, – сказал Незнайка. – Я залезу в шкаф, а ты меня закрой в нём. Мне хочется посмотреть, как он работает.

Открыв шкаф, Незнайка залез в него, а Пёстренький захлопнул дверцу. Очутившись в темноте, Незнайка услышал гудение и почувствовал, что на него подуло вдруг ветром. Ветер становился всё сильней и сильней. Через минуту Незнайка уже не мог на ногах держаться. Его отнесло в сторону и прижало к стенке шкафа. Неожиданно ветер изменил направление и подул в другую сторону. Незнайку отбросило к противоположной стенке. После этого ветер подул снизу. Брюки и рубашка у Незнайки раздулись в стороны, словно наполнились воздухом, волосы встали на голове дыбом, и он почувствовал, что вот-вот взлетит кверху, как на воздушном шаре. Чтоб удержаться внизу, Незнайка сел на пол и поскорей открыл изнутри дверцу.

– Ну как, удался опыт? – спросил Пёстренький, увидев, что Незнайка вылезает из шкафа на четвереньках.

– Вполне удался, – ответил Незнайка. – Очень интересный опыт! Попробуй сам, если хочешь.

– А как там, в шкафу, не страшно? – с опаской спросил Пёстренький.

– Ничего страшного! Тебя просто пропылесосит немножко – и всё.

– Это как?

— Ну, это вроде как на воздушном шаре летишь. Очень занятно! Вот залезай в шкаф — увидишь. Да ну же, не бойся!

Без дальнейших рассуждений Незнайка втолкнул Пёстренького в шкаф и закрыл дверцу. Несколько минут он с улыбкой прислушивался к гудению и глухим толчкам, которые доносились из шкафа. Наконец дверца открылась, и из неё вывалился Пёстренький.

— Очень интересно! — сказал он, поднимаясь с пола. — Ну-ка, Кнопочка, теперь твоя очередь.

– Ещё что выдумаешь! – ответила Кнопочка. – Очень мне нужно заниматься такими пустяками!

– Нет, ты не скажи! Это не такие уж пустяки! Дело серьёзное.

Но Кнопочка сказала:

– Не будем время терять. Пойдёмте лучше посмотрим комнаты.

Она отворила дверь, и наши путешественники вошли в просторную комнату с начищенным до блеска жёлтым паркетным полом. Посреди комнаты стоял круглый стол. У стен стояли буфет, большой диван, обитый зелёной материей, два мягких кресла и несколько стульев. У окна стоял небольшой стол с шахматами, шашками и игрой в гусёк. В одном углу комнаты находился радиоприёмник, а в другом – телевизор.

Рядом с этой комнатой, по правую сторону, имелась ещё одна комната, с двумя кроватями; по левую сторону была третья комната, с одной кроватью.

– Вот эта комнатка будет моя, – сказала Кнопочка. – А ваша – где две кровати.

– А средняя комната будет общая, – сказал Пёстренький. – Мы будем здесь слушать радио, смотреть телевидение, а также сидеть и обсуждать разные вопросы. В первую очередь я предлагаю обсудить вопрос, как бы пообедать...

– Об обеде можешь не беспокоиться, – сказала Кнопочка. – У кого есть волшебная палочка, у того всегда будет и обед и ужин. Но тебе в первую очередь нужно принять ванну.

– Зачем же мне ещё ванну, если я уже пропылесосился? – возразил Пёстренький.

– Хоть ты и пропылесосился, но чище не стал. Ни за что не сяду за стол с таким грязнулей! Или иди купайся, или не будешь обедать!

Пришлось Пёстренькому покориться. Он пошёл в ванную комнату и решил вымыть только лицо, а Кнопочке сказать, что вымылся весь. Подойдя к умывальнику, он принялся изучать его устройство. Над рукомойником была доска из пластмассы, представлявшая собой как бы пульт управления. В центре этого пульта имелось круглое зеркало. Под зеркалом расположился ряд кнопок с рисунками. Под кнопками было несколько рукояток в виде рогулек. В верхней части пульта, над зеркалом, торчала широкая изогнутая трубка в виде рупора. Под рупором был прикреплён к доске щетинистый валик. А ещё выше, под самым потолком, была ещё одна изогнутая трубка с наконечником, как у садовой лейки. По обеим сторонам зеркала имелось несколько выдвижных ящичков. Выдвинув ящичек, на котором было нарисовано мыло, Пёстренький увидел, что в нём лежит кусок мыла. Заглянув в ящичек с изображением зубной щётки, Пёстренький обнаружил зубную щётку. В ящичке с изображением зубной пасты он нашёл тюбик с зубной пастой.

– Ничего удивительного: что нарисовано, то и лежит, – с удовлетворением сказал Пёстренький и принялся разглядывать имевшиеся под зеркалом кнопки.

Под одной кнопкой была нарисована трубочка в виде рупора. Пёстренький нажал эту кнопку, и сейчас же рупор, который торчал сверху, немного наклонился, и из него подуло тёплым воздухом.

– Ага! – сообразил Пёстренький. – Это, без сомнения, трубка для просушивания волос после мытья головы.

Он нажал другую кнопку, под которой было нарисовано что-то вроде ёршика для чистки посуды, и сейчас же прямо ему на голову опустился щетинистый валик и стал вертеться, причёсывая волосы. Пёстренький сначала даже присел от испуга, но, увидев, что валик спокойно вертится, осмелел и, подставив под него голову, сказал:

– Ничего страшного! Просто автоматическая щётка для причёсывания волос.

Покончив с причёсыванием, он нажал кнопку, под которой был изображён флакончик с одеколоном, и сейчас же из отверстия, которое имелось рядом с зеркалом, в лицо ему прыснула струя одеколона. Пёстренький не успел даже зажмуриться, в глазах у него зверски защипало. Протерев глаза кулаками и размазав по щекам выступившие слёзы, он сказал:

– Тоже ничего удивительного! Раз нарисован одеколон, значит, и прыскать должно одеколоном. Вот если бы был нарисован одеколон, а прыскало бы тебе в глаза, к примеру сказать, чернилами, вот это было бы удивительно!

Вслед за этим он перешёл к изучению рукояток, которые имелись под краном. Здесь были какие-то совсем уж непонятные рисунки. Под одной рукояткой было изображение голого коротышки красного цвета. Под другой был такой же коротышка, но синенький. Под третьей рукояткой была нарисована красная рука. Под четвёртой – такая же рука, но синяя. Ничего не поняв в этих обозначениях, Пёстренький повернул первую попавшуюся рукоятку, и сейчас же на него с шумом хлынул поток воды. Пёстренький подумал, что на него снова начинает прыскать одеколоном, и нарочно зажмурился. Постепенно он понял, что на этот раз дело вовсе не в одеколоне, и, открыв глаза, увидел, что его поливает водой из душа. Он уже хотел удивиться, но вовремя спохватился:

– Спокойствие! Удивляться пока ещё рано. Я, кажется, просто под душ попал.

Мокнуть под холодным душем да ещё в одежде было не очень приятно. Пёстренький решил остановить воду, но забыл, какую повернул рукоятку, и принялся вертеть наугад то одну, то другую. Вместо того чтоб прекратить подачу холодной воды, он включил горячую. Дождь, который сыпался на него сверху, усилился и потеплел. В общем, когда ему удалось наконец остановить воду, он был мокрый с головы до ног.

– Ну как, принял ванну? – спросила Кнопочка, увидев, что Пёстренький возвращается в комнату.

– Принял, – не вдаваясь в подробности, ответил Пёстренький.

Тут только Кнопочка заметила, что с него текут потоки воды.

– Так ты, что ли, в одежде принимал ванну? – закричала она.

– А как же мне прикажете её принимать? Там такая хитрая механика, что хочешь не хочешь, а тебя искупает в одежде.

– Такая хитрая механика? – заинтересовался Незнайка.

– А вот пойди – и узнаешь.

Незнайка пошёл и через минуту вернулся тоже с головы до ног мокрый. Вдобавок от него валил кверху пар, так как он включил сразу горячую воду.

– Горе мне с вами! – сказала Кнопочка.

Она пошла в ванную и принялась изучать рукоятки, а Незнайка и Пёстренький стояли сзади и смотрели.

– Вот догадайся попробуй, – говорил Незнайка, – почему там возле одной рукоятки целенький коротышка нарисован, а возле другой – только рука отрубленная?

– Ну, это понятно, – сказала Кнопочка. – Если повернёшь рукоятку, где рука нарисована, то вода польётся из рукомойника на руки, а если повернёшь рукоятку, где целенький коротышка, то тебя окатит целиком из душа.

– Правильно! – подхватил Пёстренький. – Всё просто. А почему один коротышка красненький, а другой синенький?

– А это я уже знаю, – сказал Незнайка. – Откроешь кран с красной фигуркой – тебя сразу ошпарит, и ты покраснеешь от горячей воды, а откроешь кран

с синей фигуркой – вода пойдёт холодная, а от холода ты и сам станешь синенький. Всё ясно.

– Ну вот, раз всё ясно, наливайте в ванну воды и купайтесь, – сказала Кнопочка.

После того как Незнайка и Пёстренький кончили мыться, ванна была предоставлена в распоряжение Кнопочки, а потом все трое уселись за стол. Незнайка взмахнул волшебной палочкой и сказал:

– Столик, накройся!

Сейчас же на столе появилась скатерть-самобранка. Она развернулась сама собой... и каких только кушаний здесь не оказалось! Есть можно было что угодно и сколько угодно – еды на столе не убав-

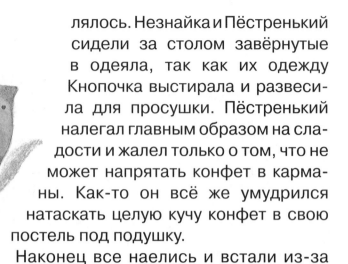

лялось. Незнайка и Пёстренький сидели за столом завёрнутые в одеяла, так как их одежду Кнопочка выстирала и развесила для просушки. Пёстренький налегал главным образом на сладости и жалел только о том, что не может напрятать конфет в карманы. Как-то он всё же умудрился натаскать целую кучу конфет в свою постель под подушку.

Наконец все наелись и встали из-за стола. Скатерть-самобранка свернулась и исчезла вместе со всей едой, так что со стола даже убирать не понадобилось. Кнопочка посмотрела в окно и с удивлением заметила, что на дворе уже ночь. Тогда она сказала, что пора уже спать, и отправилась в свою комнату. Незнайка и Пёстренький тоже пошли к себе. Потушив электричество, они забрались в постели. Пёстренький долго ещё жевал конфеты, а бумажки бросал прямо на пол. Наконец он заснул с недоеденной конфетой во рту. А Незнайка долго не спал и всё думал о том, что с ними случилось с утра. Ему казалось, что они выехали из Цветочного города не сегодня и не вчера, а давным-давно… может быть, с месяц назад. В этом ничего удивительного не было, так как коротышки очень маленькие, а для маленьких время тянется гораздо медленнее, чем для больших.

ГЛАВА ДВЕНАДЦАТАЯ

Как Незнайка разговаривал со своей совестью

Глаза Незнайки постепенно привыкли к темноте комнаты. Вокруг появились смутные очертания предметов. На стене уже можно было разглядеть картину в чёрной широкой раме. Она висела как раз напротив кровати, в которой лежал Незнайка. У изголовья кровати стоял маленький шкафчик, который Незнайка сначала принял за обыкновенную тумбочку. Теперь он заметил, что тумбочка была вовсе не обыкновенная. Вместо дверцы у неё была ровная стенка, сплошь усеянная маленькими белыми кнопками. Возле каждой кнопки имелась надпись с названием какой-нибудь сказки. Тут были и «Красная Шапочка», и «Мальчик с пальчик», и «Золотой петушок», и «Котофей Котофеевич». Сверху на тумбочке стояло зеркало.

«Что же это за штука такая? – спросил сам себя Незнайка. – Может быть, если нажать кнопку, то из шкафчика выскочит книжка со сказкой? Что ж, было бы неплохо почитать на ночь сказочку».

Недолго думая Незнайка нажал первую попавшуюся кнопку. Однако никакой книжки из шкафчика не выскочило, а вместо этого послышалась тихая, красивая музыка и чей-то добрый, ласковый голос начал не спеша рассказывать сказку:

«Жили-были сестрица Алёнушка и братец Иванушка. Раз пошли они путешествовать...» «А! – догадался Незнайка. – Значит, это просто машина для рассказывания сказок. Что ж, это даже лучше, чем самому читать. Лежи и слушай, пока не заснёшь».В это время зеркало, которое стояло на тумбочке, засветилось, на нём появился зелёный лужок. По лужку вилась дорожка, а по дорожке, взявшись за руки, шагали сестрица Алёнушка и братец Иванушка.

Незнайка улёгся на бок, чтоб удобнее было смотреть, а голос между тем продолжал:

«Вот шли-шли братец Иванушка и сестрица Алёнушка – видят пруд, а около пруда пасётся стадо коров. «Я хочу пить»,– говорит Иванушка.

«Не пей, братец, а то станешь телёночком», – отвечает Алёнушка...»

Незнайка слушал, слушал, пока не прослушал всю сказку. Она ему очень понравилась, только очень было жалко бедного Иванушку, который превратился в козлёночка. Это напомнило ему про малыша, которого он встретил сегодня на улице и превратил в осла. Незнайка совсем было забыл об этом коротышке, а теперь всё думал о нём и думал. Он вспомнил, как превратившийся в осла малыш ушёл, постукивая по тротуару копытцами, как, уходя, повернул длинноухую голову и словно с укором посмотрел на Незнайку своими добрыми печальными глазами.

Сказочка давно окончилась, а Незнайка лежал в темноте, ворочался с боку на бок и грустно вздыхал. Он мысленно разговаривал сам с собой, и от этого ему казалось, что с ним разговаривает какой-то находящийся внутри его голос.

«Он ведь сам виноват, – оправдывался Незнайка. – Он ведь толкнул меня! Что же, я молчать должен?»

«Подумаешь, какой важный! Уж и не толкни его! –отвечал голос. – Ну, толкнули тебя, и ты толкнул бы!»

«Толкнул бы»! – проворчал Незнайка. – Значит, я драться должен? Драться нехорошо!»

«Ишь ты! «Нехорошо»! – передразнил голос. – А то, что ты сделал, хорошо разве? А если бы тебя кто-нибудь превратил в осла?»

«А чего ж он толкается?» – упрямо твердил Незнайка.

«Ну что ты заладил: «толкается, толкается»! Ты ведь знаешь, что он нечаянно».

«Ничего я не знаю!»

«Знаешь, знаешь! От меня, братец, не скроешь!»

«А кто ты, что от тебя даже ничего не скроешь?» – насторожился Незнайка.

«Кто? – с усмешкой переспросил голос. – Будто не узнаёшь? Ведь я твоя совесть».

«А! – вскричал Незнайка. – Так это ты? Ну, тогда сиди себе и молчи! Ведь никто ничего не видел и никто ничего мне не скажет».

«А ты боишься, как бы тебя не побранил кто-нибудь за твоё мерзкое поведение? А меня ты совсем не боишься? И напрасно. Я вот начну тебя мучить так, что ты жизни не будешь рад. Ты ещё увидишь, что тебе стало бы легче, если бы кто-нибудь узнал о твоём поступке и наказал за него. Вот встань сейчас же и расскажи обо всём Пёстренькому!»

«Послушай, – сказал Незнайка, – а где ты была до этого? Почему раньше молчала? У других коротышек совесть как совесть, а у меня какая-то змея подколодная! Притаится там где-то, сидит и молчит... Дождётся, когда я сделаю что-нибудь не так, как надо, а потом мучит».

«Я не так виновата, как ты думаешь, – начала оправдываться совесть. – Вся беда в том, что я у тебя ещё слишком маленькая, неокрепшая и голос у меня ещё очень слабый. К тому же вокруг часто бывает шумно. В особенности днём. Шумят автомобили, автобусы, отовсюду доносятся разговоры или играет музыка. Поэтому я люблю разговаривать с тобой ночью, когда вокруг тихо и ничто не заглушает мой голос». «А, вот ты чего боишься! – обрадовался Незнайка. – Сейчас мы тебя заглушим!»

Он снова нажал кнопку на шкафчике и стал слушать сказку про Ерша Ершовича. Совесть на минуту умолкла, но скоро Незнайка опять услыхал её голос:

«Ты вот лежишь в мягкой постели под одеялом, тебе тепло, хорошо, уютно. А ты знаешь, что делает коротышка, который превратился в осла? Он, наверно, лежит на полу в конюшне. Ослы ведь не спят в кроватях. А может быть, он валяется где-нибудь на холодной земле под открытым небом... У него ведь нет хозяина, и присмотреть за ним некому».

Незнайка крякнул с досады и беспокойно завертелся на постели.

«А может быть, он голодный, – продолжал голос. – Он ведь не может попросить, чтоб ему дали поесть, так как не умеет говорить. Вот если бы тебе надо было попросить что-нибудь, а ты не мог бы произнести ни слова!»

– Какая-то сказка глупая! – проворчал Незнайка. – Совсем ничего заглушить не может.

Он принялся нажимать другие кнопки и слушать другие сказки, потом обнаружил на боковой стенке шкафчика ряд музыкальных

кнопок и стал слушать разные марши, польки и вальсы. Однако голос не умолкал ни на минуту и твердил своё. Тогда Незнайка нажал кнопку, возле которой было написано: «Утренняя зарядка». И вот среди ночи раздался крик:

— Приготовьтесь к утренней зарядке! Откройте форточку, проветрите помещение. Начинаем занятие с ходьбы. Сделайте глубокий вдох. И-и... Раз, два, три, четыре!

Незнайка замаршировал босиком по комнате, потом перешёл к подскокам: ноги в стороны, ноги вместе, ноги в стороны, ноги вме-

сте, после чего приступил к наклонам и приседаниям. Гремела музыка, чётко раздавалась команда. Незнайка старательно проделывал все упражнения, но совесть не унималась и продолжала жужжать прямо в уши:

«Разбуди Пёстренького! Разбуди, разбуди, разбуди!»

Наконец Незнайка не выдержал, подошёл к постели Пёстренького и принялся трясти его за плечо:

– Вставай, Пёстренький, мне надо тебе кое о чём рассказать.

Но где там! Пёстренький заснул так крепко, что хоть из пушек пали. Тогда Незнайка вспомнил, что больше всего на свете Пёстренький боится холодной воды. Он пошёл к рукомойнику, набрал в кружку воды и принялся брызгать Пёстренькому в лицо. Пёстренький моментально проснулся и подскочил на постели.

– Что это за наказание! – захныкал он, протирая глаза. – Я ведь уже умывался сегодня!

– Послушай, Пёстренький, я тебе расскажу одну вещь, только ты обещай мне, что не скажешь об этом Кнопочке.

– Да зачем мне ей говорить?

– Нет, ты обещай сначала.

– Ну, обещаю, только говори скорей. Спать хочется!

– Понимаешь, Пёстренький, я сегодня превратил одного коротышку в осла.

– Ну и что тут такого? – ответил плаксиво Пёстренький. – Неужели из-за этого надо меня ночью будить? Превратил – ну и превратил.

– Так ему, наверно, вовсе не хочется ослом быть!

– Мало ли чего ему не хочется! Вот ещё!

– Нет, это всё-таки нехорошо, Пёстренький. Ты меня поругай за это.

– А зачем?

– Ну, меня, понимаешь, совесть мучит. Может, мне легче станет.

– Как же тебя ругать?

– Ну, придумай что-нибудь.

– Не знаю, что и придумать... Совсем, понимаешь, не умею ругаться!

– Ну, скажи, что я олух бессмысленный.

– Олух бессмысленный, – повторил Пёстренький.

– Скажи: скотина безмозглая.

– Скотина безмозглая!

– Глупая рожа.
– Глупая рожа!
– Ну, ещё как-нибудь…
– Ослиный дурак!
– Правильно!
– Ну, легче стало?

– Нет, понимаешь, не легче. Ты, видно, на самом деле не умеешь ругаться. Лучше ты вот что… стукни меня кулаком хорошенько.

– А как стукнуть – по спине, что ли, или по шее?

– Давай, что ли, по спине… Вот так, хорошо! А теперь, что ли, по шее… Так! Ещё разок… Во! Ещё бей, не бойся… Ай!.. Ну, довольно, довольно! Размахался тут кулаками! А то как дам! Обрадовался, что драться можно!

– Сам ведь просил.

– Ну и что ж, что просил! Всему надо знать меру.

Незнайка забрался обратно в постель.

– Погоди, я до тебя ещё доберусь! – грозил он, почёсывая больно ушибленный затылок. – Не хочется сейчас связываться.

– Свинья ты неблагодарная, вот что! – ответил Пёстренький.

– Ишь ты! – ответил Незнайка. – То говорил – не умею ругаться, а сам свиньёй называет.

На этом разговор окончился, и они оба уснули.

ГЛАВА ТРИНАДЦАТАЯ

Листик и Буковка

Малыш Листик, о котором уже говорилось в этой истории, был очень хороший коротышка. Он жил в Солнечном городе, на Леденцовой улице. На этой же улице, только в другом доме, жила малышка, по имени Буковка. Эти Листик и Буковка прославились тем, что очень любили читать книги. Они увлекались чтением до такой степени, что иногда даже не ходили в театр и кино, не слушали радио и не смотрели телевизора, а вместо этого сидели и читали

какую-нибудь интересную книжку. Сначала они перечитали все книжки, которые были у них дома, потом стали доставать книги у кого-нибудь из приятелей и в магазинах, наконец записались в библиотеку, потому что в библиотеке всегда можно было достать какую-нибудь интересную книгу.

Когда-то давно Листик и Буковка не были знакомы друг с другом. Но с тех пор как оба записались в библиотеку, они стали встречаться там, а когда возвращались из библиотеки домой, то с интересом беседовали о прочитанных книгах. Скоро они подружили, и Буковка, которая была очень сообразительная, придумала такую вещь: она сказала, что они с Листиком неэкономно тратят время, так как ходят в библиотеку вдвоём, в результате чего у них остаётся меньше времени на чтение. Было бы гораздо экономнее, если бы в библиотеку ходил кто-нибудь один и брал книги для себя и для другого, а чтоб никому не было обидно, в библиотеку можно ходить по очереди.

Так они и стали делать: пока один ходит в библиотеку, другой сидит и читает книги.

Дни проходили за днями. Листик и Буковка часто встречались, и скоро они уже не могли провести дня без того, чтоб не поговорить друг с другом. Однажды Буковка сказала Листику, что теперь она очень счастлива, так как у неё есть друг, с которым можно поговорить о книгах. Листик сказал, что он тоже очень счастлив, но его постоянно мучит мысль о том, что ещё не все коротышки полюбили чтение, многие даже, вместо того чтоб читать, только рассматривают в книжках картинки, или, ещё того хуже, гоняют по улицам футбольный мяч, или играют по целым дням в салочки.

– Мне таких коротышек жалко, – говорил Листик. – Они сами не знают, какого удовольствия лишаются. Если бы они увлеклись чтением, то увидели бы, как это интересно.

Тут Буковка на минутку задумалась, а потом сказала:

– А что, Листик, если мы с тобой устроим книжный театр?

– Какой книжный театр? – не понял Листик.

– Ну это такой театр, в котором читают книги. В нём, понимаешь, нет ни актёров, ни декораций, ни сцены. Есть только публика, которая сидит и слушает какую-нибудь интересную книжку.

– Где же ты видела такой театр?

– Нигде. Я просто придумала. Мы с тобой будем выбирать самые увлекательные повести, сказки или рассказы и будем читать вслух по очереди.

Листику очень понравилось предложение Буковки, и они сразу взялись за дело. Сначала выбрали несколько рассказов для чтения, причём старались выбирать так, чтоб один рассказ был трогательный, другой – грустный, третий – весёлый, четвёртый – страшный, пятый – ещё какой-нибудь, чтоб на разные, значит, вкусы.

Для своего театра они нашли очень подходящее место. Рядом с домом, в котором жил Листик, был двор – не двор, сад – не сад, а, вернее сказать, что-то вроде небольшого скверика. Этот скверик был обсажен вокруг резедой, в центре стоял стол для любителей поиграть в шахматы или шашки, а вокруг несколько лавочек, чтоб можно было сидеть и дышать свежим воздухом. Скверик находился между двумя домами, и каждый, кто проходил по улице, видел и стол, и резеду, и скамейки.

– Вот здесь мы и устроим наш книжный театр, – сказали Листик и Буковка.

Они перетащили стол поближе к улице, поставили перед ним скамейки для слушателей, а для себя принесли из дома два стула. Потом Листик сбегал за книгой с рассказами, а Буковка принесла маленький бронзовый колокольчик.

И вот к вечеру, когда во всех театрах Солнечного города начали раздаваться звонки, призывавшие зрителей к началу представлений, Буковка тоже стала звонить в колокольчик, а Листик принялся кричать:

– Идите сюда! Здесь открывается новый театр! Очень интересно будет! Занимайте места!

Коротышки, которые проходили в это время по улице, услышали его крики. Некоторые из них уселись перед столом на лавочках и стали ждать. Листик увидел, что все лавочки уже заняты, и сказал:

– Сейчас перед вами выступит Буковка. Она будет читать рассказ.

Буковка начала читать первый рассказ. Она читала очень хорошо, с выражением, и все слушали очень внимательно, но тут какой-то коротышка, который сидел на передней лавочке, презрительно наморщил свой нос и разочарованно протянул:

– У, да здесь просто книжку читают! Какой же это театр!

– Какая-то чепуха на постном масле! Никакого нет интереса, – ответил другой коротышка.

Они вдвоём поднялись с лавочки и ушли. За ними стали уходить и другие коротышки. Скоро послышался звонок из театра, который помещался в соседнем доме. Многие коротышки вскочили и бегом помчались туда. Кончилось тем, что все слушатели разошлись, кроме одного малыша, который почему-то уснул. Листик и Буковка разбудили его и стали читать ему книжку дальше, но он слушал не очень внимательно, ёрзал всё время на стуле, зевал во всю ширину рта и клевал поминутно носом. В конце концов он встал и тоже ушёл.

Таким образом, первый опыт окончился неудачно, а на следующий день повторилась та же история. Сначала публики собралось много, но, как только Листик начал читать, все разбежались. Буковка начала приходить в отчаяние и уже даже хотела заплакать, но Листик сказал:

– Театр всё равно должен работать, есть в нём публика или нет. Если никто не будет нас слушать, мы будем друг другу читать.

Он усадил Буковку на лавочку, где должна была сидеть публика, и принялся читать дальше. Некоторые прохожие останавливались

и, послушав немного, отправлялись своей дорогой. Так продолжалось до тех пор, пока Листик не начал читать смешной рассказ. В это время по улице проходили малыш и малышка. Они остановились на минуточку, чтобы послушать, потом зашли в скверик и сели на лавочку. Им очень понравилось, как Листик читал, и они громко смеялись, Прохожие на улице услыхали их смех и тоже заинтересовались.

– Э, да тут что-то смешное читают! – говорили они и заходили в скверик.

Скоро все лавочки были заняты. Коротышки слушали рассказ, стараясь не пропустить ни слова, и помирали со смеху. Когда этот рассказ окончился, Листик начал другой, потом ещё и ещё... Никто из слушателей не ушёл, потому что всем было интересно, а когда чтение кончилось, все стали благодарить Листика и Буковку за полученное удовольствие. Один самый маленький коротышка спросил, будут ли они завтра опять читать, и, когда узнал, что будут, сказал, что он завтра тоже придёт. Потом слушатели разошлись, и этот маленький коротышка ушёл, но через минуту вернулся и спросил у Листика, будут ли они завтра читать те же рассказы, что и сегодня, или какие-нибудь новые. Листик сказал, что новые. Коротышка обрадовался, ещё раз сказал, что завтра придёт, и ушёл оконча-тельно.

С тех пор Листик и Буковка ежедневно читали в скверике книги. Сначала они читали коротенькие рассказы и сказочки, потом стали отыскивать небольшие, но интересные повести, которые можно было прочитать за один вечер, а потом стали читать и длинные пове-сти и даже романы, на которые приходилось затрачивать по нескольку вечеров. С каждым днём у них становилось всё больше слушате-лей, так что в конце концов пришлось поставить в скверике ещё штук

двадцать скамеек, а для чтецов устроить небольшие подмостки, вроде театральной эстрады. Когда наступила зима, для книжного театра сделали позади скверика специальное зимнее помещение.

Жители Солнечного города очень полюбили свой книжный театр. Многие стали самостоятельно читать книги и впоследствии с благодарностью вспоминали о том, что первое их знакомство с книгой произошло в книжном театре. Листик и Буковка очень серьёзно относились к своему делу. Они, как и прежде, ходили по очереди в библиотеку и брали там самые интересные книги. Листик говорил, что раньше он был не такой счастливый, как теперь.

– Когда я читал какую-нибудь интересную книгу, то всегда радовался, и мне очень хотелось поделиться с кем-нибудь своей радостью, – вспоминал Листик. – Мне хотелось прочитать эту книгу остальным коротышкам, чтоб и они получили удовольствие, но не мог же я выходить на улицу и читать книгу каждому встречному! Зато теперь, когда у нас есть книжный театр, я могу читать книги всем, кому хочется слушать. От этого я испытываю большое удовлетворение!

Так шло время, и всё было благополучно, пока не случилось ужасное происшествие. Однажды Листик пошёл в библиотеку, а Буковке сказал, что на обратном пути зайдёт к ней, а потом они вместе пойдут в книжный театр. Буковка подождала его сколько было положено, но Листик почему-то не появился. Сначала Буковка думала, что он задержался в библиотеке, и не беспокоилась, но потом начала беспокоиться и решила выйти на улицу, чтоб встретить Листика. Она дошла до самой библиотеки, но Листика так и не встретила, а когда пришла в библиотеку, то библиотекарша сказала, что Листик действительно недавно был здесь, взял книгу про удивительные приключения гусёнка Яшки, после чего ушёл. Буковка подумала, что Листик забыл о том, что обещал зайти к ней. Она пошла к нему домой, но дома его тоже не оказалось. Буковка решила, что он встретился на улице с кем-нибудь из приятелей и зашёл к нему. Вернувшись домой, она стала ждать Листика и всё время выглядывала в окно, но Листик не появлялся.

Так прошёл день и наступил вечер. Буковка взяла книгу для чтения и отправилась в книжный театр. У неё оставалась надежда, что Листик тоже придёт туда, но когда она пришла в скверик, то увидела, что Листика нет и там. Все лавочки уже были заняты слушателями, которые с нетерпением ожидали начала чтения. Буковка знала, что нельзя заставлять публику ждать, поэтому она раскрыла книгу и уже хотела начать читать, но от волнения не

могла произнести ни слова. Каждый вечер за этим столом Листик всегда был с ней, а теперь его вдруг не стало. Буковка уже не сомневалась, что случилось какое-нибудь несчастье. Сердце её сжалось с тоской, голова беспомощно опустилась над книгой, и из глаз закапали слёзы.

Коротышки удивились, увидев, что она плачет. Все окружили её, стали спрашивать, что случилось. Задыхаясь от слёз, Буковка рассказала, что Листик пропал. Все стали утешать её, говоря, что он, наверно, найдётся. Но Буковка не утешалась. Она сказала, что Листик очень рассеянный и к тому же у него привычка читать на ходу книги.

Возвращаясь из библиотеки и увлёкшись чтением книги, он мог наскочить на фонарный столб и разбить себе лоб. На перекрёстке он мог по рассеянности переходить улицу при красном светофоре и попасть под какой-нибудь автомобиль или труболёт, которые носятся по городу с такой бешеной скоростью, что не успевают даже затормозить.

Коротышки были очень тронуты горем Буковки и решили ей помочь. Одни стали ездить по всем отделениям милиции, другие принялись ездить по больницам, потому что если на улице произойдёт какой-нибудь случай, то пострадавший обязательно должен попасть или в больницу, или в милицию. Скоро они объездили и обзвонили по телефону все отделения милиции и все больницы, но Листик нигде обнаружен не был.

Каждое отделение милиции выделило по нескольку милиционеров для поисков Листика. Поиски продолжались всю ночь, но не дали никаких результатов. Тогда кто-то сообразил сообщить об этом в газету. И вот на следующее утро появилась газета, в которой была напечатана вся эта история про Листика и Буковку. В конце газетной статьи было сказано, чтобы каждый, кто знает что-либо о местонахождении Листика, сообщил об этом в редакцию.

ГЛАВА ЧЕТЫРНАДЦАТАЯ

Незнайка читает газету и узнаёт, где искать Листика

Утром Незнайку разбудил какой-то подозрительный шум. Во сне ему стало казаться, будто поблизости зажужжала пчела или начал работать шкаф-пылесос. Открыв глаза, Незнайка увидел на полу, недалеко от кровати, странную маленькую машину, которая ползала по комнате от одной стены к другой и непрерывно жужжала. С виду она напоминала собой черепаху – такая же полукруглая в верхней части и плоская внизу. Незнайка соскочил с постели и, согнувшись в три погибели, ходил за машиной следом, стараясь разглядеть её. Она была покрашена тёмно-зелёной эмалевой краской. Сверху в ней была масса мелких дырочек, как в дуршлаге, а снизу её охватывал блестящий никелированный поясок с более крупными отверстиями в виде глазок. Сбоку красивыми серебряными буквами была сделана надпись: «Кибернетика».

«Что это за слово такое – «кибернетика»? – спросил сам себя Незнайка. – Должно быть, название машины».

В это время машина подползла к кровати Пёстренького, возле которой валялось множество конфетных бумажек. Она проползла прямо по этим бумажкам туда и сюда – и все бумажки исчезли, будто их и не бывало. После этого машина юркнула под кровать. Некоторое время из-под кровати раздавалось её гудение. Пёстренький проснулся от шума, опустил ноги на пол, но, увидев вылезавшую из-под кровати машину, испуганно прыгнул обратно в постель.

– Что это? – спросил он, трясясь от страха.

– Кибернетика, – ответил Незнайка.

– Какая ки-кибернетика?

– Не кикибернетика, а кибернетика – машина, которая подметает пол.

– Зачем же она ко мне под кровать залезла?

– Вот чудак! Под кроватью ведь тоже подмести надо.

Машина между тем подползла к двери и засвистела. Дверь отворилась, как по сигналу, и машина поползла в соседнюю комнату. Там она принялась ползать по всему полу, даже под стол залезла, так что в конце концов нигде не оставила ни соринки…

В это время проснулась Кнопочка и, услыхав шум, выглянула из своей комнаты:

– Что тут у вас происходит?

– Кибернетика, – сказал ей Незнайка, показывая рукой на машину. – Сама подметает пол, понимаешь!

– Вот удивительно! – воскликнула Кнопочка.

— Подумаешь, диво! — сказал, махнув рукой, Пёстренький. — Было бы удивительно, если бы она пачкала пол. А раз подметает, то ничего удивительного нет.

Окончив уборку, машина вылезла на середину комнаты, покрутилась на месте, как бы оглядываясь по сторонам, потом поползла в угол и скрылась за маленькой дверцей, которая имелась в стене у самого пола.

Позавтракав (а перед завтраком они, конечно, оделись, умылись и почистили зубы), наши путешественники решили прогуляться по городу, так как толком они ещё ничего не видели. Спустившись по лестнице, они вышли из гостиницы и увидели, что на улице уже было много прохожих. Почти у каждого в руках была газета. Одни читали газету, сидя на лавочках, другие — остановившись прямо посреди тротуара. Третьи читали на ходу, то есть шагали, уткнувшись носом

в газету, отчего между многими происходили столкновения. Никто, однако ж, не обращал на эти толчки внимания, так как все были увлечены чтением. Те, у кого газеты ещё не было, мчались наперегонки к газетному киоску, который стоял на углу улицы.

– Должно быть, в газете написано что-нибудь очень важное, – сказала Кнопочка.

Увидев малышку, которая примостилась на тумбочке и с интересом читала газету, Кнопочка спросила:

– Что случилось, скажите, пожалуйста? Почему все читают газеты?

– Листик пропал, – отвечала малышка.

– Какой листик?

– Малыш такой был.

– Почему же он пропал?

– Вот этого я как раз и не знаю. Сейчас дочитаю до конца и тогда всё расскажу вам.

Кнопочка уже хотела бежать к газетному киоску, но в это время увидела малыша с толстой пачкой газет в руках. Он быстро шагал по улице и раздавал газеты каждому, кто хотел почитать. Поравнявшись с Кнопочкой, он и ей сунул в руки газету.

Усевшись с Незнайкой и Пёстреньким на лавочке, Кнопочка принялась читать вслух напечатанную в газете статью о Листике и Буковке и прочитала всё, что было нами уже рассказано в предыдущей главе.

Как только Незнайка услышал, что Листик любил читать на ходу книги, так тут же понял, что этот Листик был не кто иной, как тот самый малыш, которого он встретил вчера на улице и превратил в осла. Совесть снова принялась терзать его. Однако Незнайка ничего не сказал о своей догадке Кнопочке.

На Кнопочку, которая была очень впечатлительная, так подействовала вся эта история, что на глазах у неё даже выступили слёзы.

— Помнишь, Незнайка, мы ведь тоже дружили с тобой, как эти Листик и Буковка, и тоже читали друг другу сказочки? — сказала она. — А что было бы, если бы ты у нас тоже пропал?

— Вот ревёт, глупая! — сказал Пёстренький. — Незнайка-то ведь не пропал ещё! Вот он сидит!

А Незнайка взял газету и принялся читать другие заметки. Одна заметка привлекла его внимание.

– Слушайте, что здесь написано, – сказал он и прочитал заметку вслух: – «Вчера вечером на Бисквитной улице был обнаружен неизвестно кому принадлежащий осёл. Животное бродило посреди тротуара, неожиданно появляясь перед прохожими и пугая их своим видом. Иногда оно заходило на мостовую, где его жизни угрожала опасность от движущихся автомашин. Все попытки отыскать владельца осла не привели к результатам. Сотрудниками милиции безнадзорный осёл был пойман и отправлен в зоопарк».

– Ну, поймали осла и отправили в зоопарк, – сказала Кнопочка. – Что тут такого?

– Так это ведь... – начал Незнайка.Он хотел сказать, что это, наверно, был тот осёл, в которого он превратил вчера коротышку, но, увидев, что чуть было не проговорился, умолк.

– Что «это ведь»? –спросила Кнопочка.

– Ну, это ведь… это ведь… – замялся Незнайка. – Это ведь значит, что в Солнечном городе есть зоопарк и мы можем пойти на зверей посмотреть.

– Правильно! – обрадовался Пёстренький. – Я давно мечтал пойти в зоопарк и посмотреть на зверей.

Нужно сказать, что в стране коротышек, точно так же как и у нас, водятся разные звери: львы, тигры, волки, медведи, крокодилы и даже слоны. Только все эти звери не такие большие, как наши, а совсем маленькие, коротышечные. Волк там размером с мышонка, медведь величиной с крысу, самый большой зверь – слон, но и тот размером с котёнка. Однако и такие маленькие звери кажутся страшными крошечным коротышкам, которые, как это каждому уже известно, ростом всего лишь с палец. Несмотря на свой маленький рост, коротышки отличаются большой отвагой. Они бесстрашно ловят зверей и привозят их в зоопарк, чтобы все могли приходить и смотреть на них.

Услыхав о зоопарке, Пёстренький вскочил с лавочки, чтоб поскорей бежать туда, и сказал:

– Что ж делать? Мы ведь не знаем, где зоопарк...

– Чепуха, сейчас узнаем, – ответил Незнайка.

Он подошёл к малышу, который читал у края тротуара газету, и спросил его:

– Скажите, пожалуйста, где находится зоопарк? Нам надо на осла посмотреть, то есть... тьфу!.. не на осла, а вообще на зверей.

– До зоопарка вас довезёт девятый номер автобуса, – ответил малыш. – Остановка вот здесь, возле гостиницы.

Незнайка поблагодарил, и наши путешественники отправились к автобусной остановке. Ждать им пришлось недолго. Минуты через две или полторы подкатил автобус. Дверцы его гостеприимно открылись, путешественники вошли внутрь, и автобус покатил дальше. Его движение было настолько плавное, что не ощущалось никакой тряски. Это объяснялось особым устройством автобусных шин и рессор.

Внутреннее оборудование автобуса тоже отличалось своеобразием. Возле каждого окна был установлен небольшой стол, по обеим сторонам стола имелось по два мягких диванчика, а на каждом диванчике могли сидеть по два пассажира. На столах лежали газеты, журналы, а также шахматы, шашки, лото, домино и другие настольные игры. На стенах между окнами были нарисованы красивые картины; под потолком висели разноцветные флажки, которые придавали очень весёлый вид всему автобусу. В передней части автобуса был установлен телевизор, на экране которого все желающие могли смотреть кинокартины, футбольные состязания и другие телевизионные передачи. Наконец, в задней части автобуса имелся тир для стрельбы в цель. Наше описание было бы неполным, если бы мы забыли упомянуть, что кондуктора в автобусе не было, а вместо него висел на стене громкоговоритель, по которому громко объявлялись названия остановок.

Когда Незнайка и его спутники вошли в автобус, то увидели, что несколько пассажиров, склонившись над столиками, читали газеты, двое малышек играли в лото, другая пара малышек и ещё пара малышей играли в шахматы. Трое малышек сидели впереди и смотрели телевизионную передачу. Два малыша палили по очереди из пневматического ружья в цель, что, впрочем, никого не смущало. Несколько малышей с увлечением обсуждали случай с исчезновением Листика, о котором было напечатано в газете. Один из пассажиров стал рассказывать случай про одного своего знакомого – коротышку Бубенчика, который заблудился однажды ночью на улице и никак не мог найти дорогу домой.

Этот рассказ очень заинтересовал Незнайку, но ему так и не удалось узнать, чем кончилась вся эта история с Бубенчиком, так как автобус скоро остановился у зоопарка и пришлось сойти, не дослушав рассказ до конца.

ГЛАВА ПЯТНАДЦАТАЯ

В зоопарке

Жители Цветочного города пока ещё не успели сделать у себя зоопарк, поэтому Незнайка и его друзья никогда в зоопарке не были. Они представляли себе звериные клетки в виде больших мрачных железных ящиков с решётками; на самом же деле это были очень привлекательные на вид, нарядные домики, которые стояли среди зелени и цветов. Их крыши были выкрашены яркими, разноцветными красками. Передняя стенка каждого домика была сделана из решётки, поэтому сидевшие в них звери были хорошо видны. Кроме клеток, в зоопарке были устроены пруды и водоёмы, в которых жили различные водоплавающие птицы и такие животные, как тюлени и бегемоты. Для летающих птиц были сделаны просторные вольеры из проволочной сетки. А такие птицы, как павлины и индюки, которые не умели ни плавать, ни летать, разгуливали на свободе, где им хотелось. В центре зоопарка была устроена искусственная гора со скалами, по которым лазили горные козлы и бараны.

Попав в зоопарк, Незнайка во все глаза глядел на животных, стараясь отыскать среди них Листика, которого он превратил в осла. Ему хотелось как можно скорей превратить его обратно в коротышку, потому что совесть всё время мучила его и не давала покоя. Кнопочка тоже с большим интересом разглядывала зверей и не переставала удивляться. Сердце у неё было очень доброе. Поэтому она каждый раз грустно вздыхала и говорила:

— Ах вы бедненькие! Зачем же вас в клетку заперли? Вам ведь, наверно, погулять хочется...

Зато Пёстренький ничему не удивлялся, по своей привычке, и только старался держаться от клеток подальше. Увидев волка, он сказал:

– Подумаешь, волк! Просто большая собака.

Увидев тигра, сказал:

– Просто большая кошка. Ничего страшного.

– Так подойди ближе, если ничего страшного, – сказал Незнайка.

– А ближе я плохо вижу. У меня глаза дальнозоркие.

Недалеко от клетки с тигром стоял киоск с газированной водой. В киоске продавца не было, но каждый, кто хотел пить, подходил, нажимал кнопку, и газированная вода автоматически наливалась в стакан. Заметив это, Пёстренький сказал, что ему очень жарко и тоже хочется попить газированной водички с сиропом.

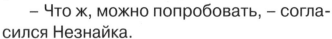

– Что ж, можно попробовать, – согласился Незнайка.

Они подошли к киоску и увидели на прилавке целый ряд краников с кнопками.

– Какую же нажимать кнопку? – с недоумением спросил Пёстренький.

– Ну, нажми ту, где нарисована вишенка, – посоветовал Незнайка.

Пёстренький нажал пальцем кнопку, возле которой была нарисована красная вишенка. Сейчас же из круглого отверстия, которое имелось под краном, выскочил чистый стакан и в него с шипением потекла розовая струя газированной воды с вишнёвым сиропом. Пёстренький с удовольствием выпил воду и поставил стакан обратно под кран. В стойке сейчас же открылось отверстие, и стакан опустился вниз.

– Ну вот! – обиженно сказал Пёстренький. – А я хотел выпить ещё стаканчик.

– А ты снова нажми кнопку, – посоветовала Кнопочка.

Пёстренький нажал кнопку, возле которой был нарисован апельсин. Из отверстия снова выскочил чистый стакан, и в него полилась оранжевая струя воды с апельсиновым сиропом. Пёстренький выпил и эту воду.

– А ну-ка, я нажму вот – где нарисован лимончик, – сказал он.

– А я нажму – где нарисована клюковка, – ответил Незнайка.

– А я – где клубничка, – подхватила Кнопочка.

Все стали нажимать кнопки и пить воду. Наконец Пёстренький, у которого выпитая вода стала в животе булькать, а выделявшийся из неё углекислый газ начал бросаться в нос, сказал, что пока ему больше не хочется пить, и наши друзья отправились дальше. Скоро они были в обезьяннике и смотрели на обезьян, которые оказались очень подвижными, ловкими и занятными зверями. В клетках у них были устроены лестницы, шесты, качели, трапеции. Обезьяны карабкались по шестам, раскачивались на качелях, прыгали по лестницам, ловко цепляясь за них всеми четырьмя руками и даже хвостом. Одна обезьяна нашла где-то маленькое зеркальце и носилась с ним по всей клетке, не выпуская ни на минуту из рук. Она то и дело смотрелась в зеркало с такими ужимками, что невозможно было удержаться от смеха. Незнайка громко смеялся, глядя на эту обезьяну, и сказал, что она похожа на Пёстренького.

– И совсем не похожа! – обиделся Пёстренький. – У неё хвост, а у меня нет никакого хвоста.

Они принялись спорить. Пёстренький разозлился:

– Вот скажу Кнопочке, что ты превратил коротышку в осла.

– Я тебе «скажу»! Ты ведь обещал молчать, изменник! – зашипел Незнайка, наступая на Пёстренького с поднятыми кулаками.

– Тише, тише! Какой позор! – возмутилась Кнопочка. – Постыдились бы хоть обезьян! Пойдёмте отсюда.

– Не хочу я отсюда! – сердито проворчал Пёстренький.

– Что же ты, будешь целый день на обезьян смотреть? Нам ещё надо слона увидеть.

Друзья отправились смотреть слона. По дороге они увидели невысокую загородку, за которой находился деревянный сарай. Возле сарая стоял серенький ослик. У него были длинные уши и большие печальные глаза. Он грустно понурил голову и, казалось, о чём-то думал. Увидев осла, Пёстренький захихикал и принялся толкать Незнайку локтем:

– Смотри, твой осёл.

– А ты молчи! – зашипел Незнайка. – Держи язык за зубами. Понял?

– Ну что вы там опять друг на друга шипите, словно два гуся? – спросила Кнопочка.

— Мы не шипим, — ответил Пёстренький. — Просто я говорю, что это, наверно, тот осёл, про которого писали в газете.

Посмотрев на осла, путешественники пошли дальше и через несколько минут были возле слоновника. Увидеть слона оказалось довольно трудно, потому что вокруг клетки стояла огромная толпа коротышек. Кнопочка сейчас же начала пробираться сквозь эту толпу. Пёстренький полез вслед за ней.

А Незнайка, как только увидел, что остался один, сейчас же повернул обратно и побежал к тому месту, где видел осла.

Осёл по-прежнему находился за загородкой. Он только подошёл ближе к калитке. Незнайка осмотрелся по сторонам и, увидев, что поблизости никого нет, вытащил из-за пазухи волшебную палочку, взмахнул ею и сказал:

— Хочу, чтоб осёл превратился опять в коротышку.

Не успел он сказать этих слов, как увидел, что осёл приподнялся на задние ноги, выпрямился… и уже это был не осёл, а самый настоящий малыш. На нём был кургузый зелёный пиджак с узенькими, короткими рукавами в обтяжку, широкие брюки зеленовато-жёлтого цвета. На голове красовался ярко-синий берет с оранжевыми горошинами, с такой же оранжевой кисточкой на макушке. Из-под берета выбивался длинный чуб и свешивался прямо на лоб, закрывая его до самых бровей.

Взглянув на Незнайку, коротышка деловито сплюнул сквозь зубы, громко шмыгнул носом и энергично провёл по нему кулаком. Кулак у него был большой, а нос маленький, вроде пуговки, весь покрытый веснушками. Проделав всё это, малыш толкнул ногой калитку и вышел из неё. Здесь он на минутку остановился и повернулся к Незнайке. Его крошечные глазки задорно блеснули, длинная верхняя губа задралась к самому носу, рот разъехался чуть ли не до ушей. Улыбнувшись таким образом Незнайке, бывший осёл сунул обе руки в карманы брюк и пошёл по дорожке прочь. Незнайка долго смотрел ему вслед. У него словно тяжесть свалилась с плеч. Совесть, которая не переставала мучить его, умолкла, и он, радостный, побежал обратно к своим друзьям.

Пока Незнайка отсутствовал, Кнопочка пробралась к слоновьей клетке и как следует разглядела слона. Она была очень удивлена величиной этого диковинного животного. Но больше всего её удивило то, что у слона был впереди длинный хобот, которым он, как рукой, мог брать различные предметы. Пёстренький, однако, побоялся подходить близко к такому большому зверю. Он всё время вертелся в толпе и смотрел на слона из-за спин стоящих впереди зрителей.

В результате ему удалось увидеть только слоновью голову с висящими по бокам ушами. Решив, что этого зрелища с него вполне достаточно, Пёстренький начал вылезать из толпы обратно. В это время вернулся Незнайка.

— Ну, видел слона? — спросил он Пёстренького.

— Э, ничего удивительного! — махнул рукой Пёстренький. — У всех только и разговору: «Слон, слон!» А чего там смотреть? Одна голова да уши!

Тут из толпы выбралась Кнопочка:

— А ты где пропадал, Незнайка? Почему на слона не смотрел?

— Э, буду я тут ещё на уши смотреть! Пойдёмте лучше ещё газированной водички попьём.

— Правильно! — обрадовался Пёстренький. — Мне уже тоже почему-то пить захотелось.

Но Кнопочка отказалась.

— Идите, а я вас тут на лавочке подожду, — сказала она и уселась на лавочке, которая стояла на краю дорожки.

Незнайка и Пёстренький отправились обратно к киоску,

— Знаешь, Пёстренький, а я этого осла уже превратил в коротышку! — похвастал Незнайка.

— А... — протянул Пёстренький. — То-то я заметил, что ты бегал куда-то.

Через минуту они снова подошли к загородке, и Пёстренький увидел осла, стоявшего в глубине у забора.

— Вот так превратил! — засмеялся Пёстренький. — Да он вон где стоит!

— Кто стоит? — удивился Незнайка.

— Да осёл твой!

— Ах, чтоб тебя! — с досадой воскликнул Незнайка, увидев осла, который как ни в чём не бывало поглядывал на него и лениво моргал глазами. — Не может быть, чтоб он обратно в осла превратился! Слушай, а может быть, это не тот осёл?

– Правда! – сообразил Пёстренький. – Может быть, это другой. Наверно, он из сарая вылез.

– Хорошо, что мы его увидели, – сказал Незнайка. – Может быть, это как раз и есть тот осёл, который мне нужен, а тот, которого я превратил уже, был не тот.

– Верно! – подхватил Пёстренький. – Этот, возможно, конечно, тот, а тот был не тот, а может, наоборот, тот был не тот, а этот – тот...

– Постой, а то я в этих ослах уже запутался, – перебил Незнайка. – Лучше я этого превращу тоже.

– Правильно, – поддакнул Пёстренький, которому очень хотелось увидеть, как осёл превратится в коротышку.

Незнайка взмахнул палочкой и сказал:

– Хочу, чтоб этот осёл тоже стал коротышкой!

Не успели Незнайка и Пёстренький моргнуть, как вместо осла перед ними появился коротышка. На нём был такой же коротенький пиджачок с узкими рукавами и такой же берет с кисточкой на макушке, только пиджак был не зелёного, а ярко-рыжего цвета; берет же был не синий, а голубой с белыми крапинками. Что касается брюк, то они были такого же ядовитого зеленовато-жёлтого цвета. Лицом этот коротышка был тоже похож на первого: такие же маленькие чёрные глазки, длинный чуб, свесившийся на лоб, непомерно длинная верхняя губа, маленький нос с веснушками. Отличие заключалось лишь в том, что у первого веснушки были только на носу, а у этого они сидели и на носу и на щеках вокруг носа. Осмотревшись с недоумением по сторонам, коротышка наморщил свой веснушчатый нос и не то чихнул, не то фыркнул, мотнув головой. Не взглянув на Незнайку и Пёстренького, он подошёл к забору, перелез через него и скрылся.

Увидев это чудесное превращение, Пёстренький онемел от растерянности и, только когда коротышка исчез за забором, спросил:

– Тот?

– Как – тот? – не понял Незнайка.

– Ну, тот это коротышка, которого ты вчера превратил в осла?

– Шут его знает! – развёл Незнайка руками. – Я уже забыл, какой был тот. Да ладно, какой-нибудь из двух – тот... Постой, а это ещё там кто? – закричал он вдруг.

– Батюшки! Ещё один осёл! – ахнул Пёстренький, увидев длинноухую голову, которая высунулась из открытой двери сарая.

– Вот не было печали! – воскликнул Незнайка. – Придётся ещё одного превращать...

– Погоди, – сказал Пёстренький. – Это, кажется, не осёл, а лошадь.

– Что ты! Лошадь гораздо больше.

– Верно, – согласился Пёстренький. – С одной стороны – это как будто лошадь, а с другой стороны – осёл. Должно быть, просто большой осёл, вот и всё.

– Э, некогда мне тут с ними возиться! – сказал Незнайка. – Превращу – и дело с концом. Будет на одного коротышку больше.

Пока они разговаривали, осёл вышел из сарая и направился прямо к ним. Незнайка поскорей замахал у него перед носом палочкой:

– Хочу, чтоб и этот осёл стал коротышкой!

Сказав это, он зажмурился, а когда открыл глаза, осла уже не было, а вместо него стоял коротышка. Он был такой же, как два предыдущих, только немного выше, с такой же длинной губой, а веснушки у него были не только на носу и вокруг носа, а по всему лицу, даже кулаки у него были веснушчатые. Подойдя к загородке, он взглянул в упор на Незнайку и строго спросил:

– Где Брыкун и Пегасик?

– Какие Брыкун и Пегасик? – испугался Незнайка.

– Ну, ослы. Не видал разве, что тут два осла были?

– Не видал, – растерявшись, соврал Незнайка.

– Что ты врёшь? Может быть, по лбу хочешь?

– Как это – по лбу? – не понял Незнайка.

– А вот как!

Коротышка протянул через загородку свою руку и дал Незнайке по лбу такого щелчка, что тот чуть не полетел с ног.

– Ах, так! – закричал, задыхаясь от гнева, Незнайка. – Так ты, значит, драться? Да я тебя!.. Я тебя!..

– Что ты сказал? – закричал коротышка. – Вот я сейчас с тобой разделаюсь!

И он тут же полез через ограду. Не дожидаясь расправы, Незнайка бросился удирать. Пёстренький побежал за ним. Они мчались со скоростью метеоров мимо звериных клеток, а за ними, громко сопя и стуча ногами, как лошадь, бежал новоявленный коротышка. Неизвестно, чем бы кончилась эта погоня, если бы коротышка не растянулся вдруг посреди дороги, зацепившись ногой за корень. Поднявшись с земли, он увидел, что Незнайка и Пёстренький уже далеко и ему теперь не догнать их.

– Я тебе покажу! – кричал он. – Мы ещё встретимся! Ты у меня попляшешь!

Погрозив Незнайке увесистым кулаком, он сунул обе руки в карманы своих широких зеленовато-жёлтых брюк и зашагал прочь. Увидев, что опасность миновала, Незнайка и Пёстренький вернулись к Кнопочке.

– Где же вы ходите? – сердито спросила она. – Я уже хотела идти искать вас.

– Да за нами тут один сумасшедший осёл гонялся, – ответил Незнайка.

– Какой сумасшедший осёл?

– Я потом тебе расскажу.

– Это что ещё за новости – «потом»! Ты сейчас рассказывай!

Пришлось Незнайке признаться, что это он превратил вчера Листика в осла, и рассказать обо всём, что случилось.

– Вот видишь, Незнайка, какой ты злой! – сказала Кнопочка, прослушав его рассказ. – Разве тебе волшебная палочка для того дана, чтоб ты превращал в ослов коротышек?

152

– Я не злой, Кнопочка! Я всё время так мучился из-за этого Листика и из-за Буковки тоже. Меня совесть совсем загрызла, честное слово! Ты не сердись. Ведь всё хорошо кончилось, и теперь Листик уже, наверно, вернулся к Буковке.

– Хорошо ещё, что мы прочитали в газете, где искать Листика, – сказала Кнопочка.

ГЛАВА ШЕСТНАДЦАТАЯ

Как Незнайка, Кнопочка и Пёстренький встретились с Пегасиком и что из этого вышло

Конец дня путешественники провели в зоопарке, так как там оказалось ещё много зверей, которых они не видели. Только к вечеру они вернулись в гостиницу и, поужинав, легли спать. На этот раз Незнайку не мучила совесть, и он заснул очень быстро.

Впрочем, он не заснул бы так скоро, если бы кто-нибудь рассказал ему, что среди трёх ослов, которых он превратил в коротышек, вовсе не было Листика. В газете произошла ошибка, и, вместо того чтоб напечатать, что найденного осла отправили в цирк, ошибочно напечатали, что его отправили в зоопарк. Вот поэтому Листик так и остался в цирке, а вместо трёх ослов, которые были в зоопарке, появились трое коротышек. Первого звали Пегасик, второго – Брыкун, а третьего – Калигула. Хотя в зоопарке Калигула считался обыкновенным ослом, на самом деле он был не осёл, а лошак. Как известно, лошак – это нечто среднее между лошадью и ослом, то есть он немного поменьше лошади и чуть-чуть побольше осла. Если из Брыкуна и Пегасика получились коротышки обычного роста, то Калигула вышел довольно высоким. Ростом он оказался в девять с половиной ногтей. Ноготь – это такая мера длины в стране коротышек. В переводе на наши меры ноготь равняется одному сантиметру с четвертью. Помножив девять с половиной на сантиметр с четвертью, каждый может узнать, какого роста был этот Калигула.

Все трое – и Пегасик с Брыкуном, и Калигула – удивлялись происшедшей с ними перемене. Больше всего им казалось странным, что они ходят на двух ногах, а не на четырёх, как прежде, и что они как-то вдруг сразу выучились говорить. Но особенно они удивлялись тому, что теперь у них на руках вместо копыт были пальцы. Это почему-то их очень смешило. Стоило кому-нибудь из них взглянуть на свою руку или хотя бы на палец, как его начинало трясти от смеха.

Однако ни Калигула, ни Брыкун, ни Пегасик не сумели бы объяснить, что здесь такого смешного. Вообще из них получились коротышки, которые не любили о чём-либо задумываться, а делали сразу всё, что только приходило им в голову. Впрочем, читатель в дальнейшем и сам убедится в этом, так как ему ещё предстоит встретиться с ними.

Проснувшись на другой день, Незнайка, Кнопочка и Пёстренький стали думать, куда бы им ещё пойти погулять и не отправиться ли опять в зоопарк, но Кнопочка сказала, что лучше просто пройтись по улицам и посмотреть город, которого они, в сущности, до сих пор не видели.

Позавтракав, наши путешественники спустились по лестнице и, выйдя из гостиницы, очутились на улице. Толпы прохожих уже двигались по широкому тротуару. Свежий утренний ветерок доносил запах цветов, которые во множестве росли вдоль тротуаров. Солнышко только что поднялось над крышами домов и пригревало пешеходам и плечи, и спины, и щёки, и лбы, и носы, и уши. Поэтому лица у всех были довольные и весёлые.

На краю тротуара Незнайка и его спутники увидели коротышку в белом фартуке и чёрных блестящих резиновых сапогах. Звали его Чубчиком. В руках у него был резиновый шланг, из которого он поливал цветы. Струя воды с силой вырывалась из трубки; коротышка ловко направлял струю на цветы, стараясь, чтоб ни одна капля не попала на кого-нибудь из прохожих.

Остановившись неподалёку, наши путешественники невольно залюбовались его работой. В это время вдали появился ещё один коротышка. На нём был кургузый зелёный пиджак с узенькими рукавами, зеленовато-жёлтые брюки и синий берет с оранжевой кисточкой. Незнайка сразу узнал в нём осла, которого он вчера превратил в коротышку. Это и на самом деле был Пегасик. Он с утра слонялся по городу, глазея по сторонам и не зная, чем бы заняться. Увидев поливальщика, он тоже остановился и стал смотреть. Ему почему-то вдруг страшно захотелось побрызгать из шланга водой, и он сказал:

— А ну-ка, дай мне чуточку подержать трубку. Мне тоже хочется немножко полить цветы.

Чубчик приветливо улыбнулся и, протянув Пегасику наконечник со шлангом, сказал:

— Пожалуйста.

Пегасик обрадовался, взял в обе руки металлическую трубку и направил струю на цветы.

— Пускайте струю немного выше, чтоб вода падала на цветы сверху, — посоветовал Чубчик. — Если вы будете направлять струю в упор, то это может повредить растениям.

Пегасик послушно направил струю повыше.

— Вот теперь правильно! — одобрил Чубчик. — Я вижу... что у вас есть способности к поливке цветов. Вы пока поработайте, а я на минуточку сбегаю домой. Если вас не затруднит, конечно, — добавил он.

— Нет, нет! Чего там! Не затруднит, — ответил Пегасик.

Чубчик ушёл, а Пегасик вполне самостоятельно продолжал поливать цветы. От напора воды трубка вздрагивала у него в руках. Пегасику казалось, будто она живая, и он очень гордился, что выполняет такое важное дело. Вдруг он увидел стоявших впереди Незнайку, Кнопочку и Пёстренького, и сейчас же шальная мысль пришла ему в голову:

«А ну-ка, что будет, если я окачу их водичкой?»

Не успел он это подумать, как руки сами собой направили струю на Незнайку, окатив его с головы до ног.

– Эй! – закричал Незнайка. – Ты зачем обливаешься?

Пегасик сделал вид, будто не слыхал его слов, и отвёл струю в сторону, а потом снова, будто нечаянно, окатил Незнайку. От злости Незнайка чуть не подпрыгнул на месте и уже хотел бежать наказать обидчика, но Кнопочка схватила его за руку и сказала:

– Пойдём отсюда! Не хватает только, чтоб ты драку затеял!

Все трое повернулись и уже хотели уйти, но в это время Пегасик направил струю прямо в затылок Кнопочке.

– Ай! – завизжала Кнопочка, чувствуя, как ледяная струя проникает за шиворот и растекается по спине.

– Так ты ещё Кнопочку обливать! – закричал, разъярясь, Незнайка. – Сейчас я тебе покажу!

Он подбежал к Пегасику и хотел вырвать у него трубку из рук, но Пегасик отвёл трубку в сторону, и струя начала бить вдоль тротуара, обливая прохожих. Пытаясь овладеть трубкой, Незнайка зашёл сбоку, но Пегасик повернулся к нему спиной и старался оттолкнуть ногой.

– А, так ты ещё ногами лягаться! – проворчал Незнайка.

Он наконец схватил трубку и начал отнимать её у Пегасика, но Пегасик не отдавал. Струя с шипением вырывалась из наконечника и с силой хлестала то в одну сторону, то в другую. Спасаясь от холодной струи, пешеходы бросились удирать. Они столпились в отдалении с обеих сторон тротуара и никак не могли понять, зачем их обливают водой. Некоторые кричали Незнайке и Пегасику, чтоб они перестали баловаться. Кнопочка тоже кричала, но Незнайка и Пегасик не обращали на крики никакого внимания и продолжали вырывать друг у друга трубку.

– Надо бы отнять у них шланг, – сказал кто-то.

– Правильно! – закричали в толпе. – Надо всем вместе напасть на них и отнять трубку – тогда они не смогут обливаться.

Сразу нашёлся предводитель. Это был коротышка, по имени Ёршик. Он был в светло-коричневом спортивном костюме и шляпе с широкими полями.

– Ну-ка, братцы, за мно-о-ой! – закричал Ёршик и бросился вперёд.

Увидев это, Пегасик направил струю прямо ему в лицо. Шляпа слетела у Ёршика с головы и покатилась по улице.

– Стой! Стой! – закричал Ёршик, бросаясь за шляпой.

В это время Незнайка изловчился и выхватил шланг у Пегасика из рук. Пегасик, однако, не растерялся. Он ухватился руками за трубку и дёрнул с такой силой, что оторвал её от шланга. Незнайка хотел дать ему по голове шлангом, из которого продолжала хлестать вода, но в это время его схватили за руки подбежавшие со всех сторон коротышки. Увидев, что дело обернулось таким скверным образом, Пегасик недолго думая швырнул трубку на землю и бросился наутёк.

Вокруг Незнайки моментально собралась толпа. Коротышки запрудили весь тротуар и даже мостовую. Автомобильное движение прекратилось, и на улице образовалась пробка. Неизвестно откуда прибежал милиционер и закричал:

– Попрошу всех разойтись! Вы мешаете движению транспорта!

– Вот этот водой обливался! – кричал Ёршик, показывая на Незнайку пальцем.

– Я не обливался! – кричал Незнайка. – Меня самого облили.

– Смотрите на него! – кричал Ёршик. – Его облили! Ха-ха!

К месту происшествия со всех сторон бежали новые коротышки. Толпа становилась всё больше и больше. Автомобили запрудили всю улицу вплоть до перекрёстка. Бедный милиционер даже за голову схватился.

– Разойдитесь, пожалуйста! – кричал он.

Но никто не хотел расходиться. Те, которые видели всё это происшествие, не уходили потому, что им хотелось рассказать обо всём тем, которые не видели, а те, которые не видели, не уходили потому, что им обязательно хотелось посмотреть на Незнайку. Милиционер сообразил, что никто не уйдёт до тех пор, пока Незнайка будет находиться на улице, и поэтому решил отвести его в милицию.

Взяв Незнайку за руку, милиционер повёл его к автомобилю, который стоял за углом в переулке. Увидев, что милиционер посадил Незнайку в машину, Кнопочка и Пёстренький побежали к нему и закричали:

– Возьмите и нас с собой! Возьмите и нас!

Но машина уже тронулась и поехала. Выбиваясь из сил, Кнопочка и Пёстренький бежали за ней. Но где там! Разве могли они её догнать! Расстояние между ними быстро увеличивалось. К счастью, отделение милиции оказалось недалеко. Машина повернула за угол и минуты через две остановилась возле небольшого одноэтажного дома с круглой, куполообразной крышей, выкрашенной сверкавшей на солнышке серебряной краской. Кнопочка успела заметить, как милиционер и Незнайка вышли из машины и направились к этому дому.

Войдя в дверь, сопровождаемый милиционером Незнайка очутился в светлой просторной комнате. Здесь он увидел ещё одного милиционера, который сидел на круглом вертящемся стуле перед пультом управления с разными выключателями, переключателями, рубильниками, микрофонами, телефонами и громкоговорителями. Над пультом в четыре ряда были помещены пятьдесят два шаровидных телевизионных экрана, на которых, как в зеркальных шарах, отражались пятьдесят два городских перекрёстка вместе с домами, движущимися машинами, пешеходами и всем, что только могло быть на улице. Посреди комнаты висел ещё один такой же шаровидный экран, но только значительно больших размеров.

Оба милиционера – и тот, который привёл Незнайку, и тот, который сидел у пульта, – были одеты, как и все остальные коротышки, а чтоб было видно, что они милиционеры, которых все должны слушаться, на головах у них были блестящие медные каски, вроде как у пожарных. Тот, который сидел у пульта, был маленького роста и толстенький. Его звали Караулькин. А тот, который привёл Незнайку, был длинненький и худой. Звали его Свистулькин.

Милиционер Караулькин увидел, что милиционер Свистулькин привёл Незнайку, и сказал:

– А, поливальщик пришёл! Вы что же это, братец, вздумали водой обливаться на улице?

– Я не обливался, – растерянно проборматал Незнайка.

– Как – не обливался? – удивился милиционер Караулькин. – Мы ведь видели. У нас в милиции всё видно. Вот попрошу вас подойти ближе.

Милиционер Свистулькин легонько подтолкнул Незнайку в спину, заставив его приблизиться к пульту с шаровидными экранами.

— Под наблюдением нашего отделения милиции находятся ровно пятьдесят два перекрёстка, — сказал Караулькин. — Стоит нам взглянуть на эти пятьдесят два шарика — и мы увидим всё, что творится на каждой улице. Если на маленьких шариках подробности плохо видны, мы можем включить шарик побольше.

С этими словами милиционер Караулькин повернул выключатель. Сейчас же зеркальный шар, который висел посреди комнаты, озарился изнутри таинственным голубоватым светом, и на нём стал виден перекрёсток с остановившимися посреди мостовой автомашинами.

– Вот видите: на углу Пряничной и Галетной улиц затор. Всё движение остановилось! – укоризненно сказал Караулькин и показал рукой на шар.

Он тут же щёлкнул другим выключателем, и на экране появился другой перекрёсток.

– На углу Сахарной и Котлетной – тоже затор, – сказал Караулькин. – Теперь долго придётся ждать, пока движение восстановится. А ведь каждая машина должна куда-нибудь ехать. Из-за этих задержек нарушается нормальная жизнь города.

В это время милиционер Свистулькин посмотрел на один из малых шаровидных экранов и сказал:

– А на Восточной улице толпа не разошлась ещё.

– Сейчас включим Восточную улицу, – сказал милиционер Караулькин.

Он повернул ещё один выключатель – и на большом шаре появилось изображение Восточной улицы как раз в том месте, где Незнайка подрался с Пегасиком из-за шланга. Подойдя ближе к экрану, Незнайка увидел большую толпу, которая запрудила всю улицу. Впереди всех стоял Ёршик и рассказывал всем, что здесь произошло.

– Что за публика у нас в городе! – поморщился Караулькин. – Так и будут теперь толпиться. Придётся тебе, Свистулькин, ещё раз съездить туда и попросить, чтоб они разошлись. Пусть они идут разговаривать в другое место, а толпу незачем собирать. От этого движение нарушается.

– Сейчас выполню, – согласился Свистулькин.

Он отвёл Незнайку в соседнюю комнату, посреди которой стояли стол и несколько стульев, и сказал:

– Попрошу вас подождать меня здесь минуточку. Я скоро вернусь.

Захлопнув дверь, милиционер Свистулькин ушёл, а милиционер Караулькин продолжал наблюдать за всеми пятьюдесятью двумя шарами с изображением перекрёстков. Взглянув на большой экран, он увидел, что явившемуся на место происшествия Свистулькину удалось уговорить коротышек разойтись, и толпа начала понемногу редеть.

Добившись успеха, Свистулькин сел в машину и поехал обратно.

– Что нам теперь с задержанным делать? – спросил он, возвратившись в милицию.

– Просто даже не знаю… – пожал Караулькин плечами.

– Я тоже не знаю, – сказал Свистулькин. – Сколько лет работаю в милиции, и ни разу не было случая, чтоб прохожие водой обливались. Думаю, ему надо прочитать коротенькую нотацию и отпустить поскорей домой, а то как бы он на нас не обиделся…

– Я тоже ужасно боюсь, что он может обидеться. Отпусти его, пожалуйста, Свистулькин. Внуши ему как-нибудь поделикатней, что обливаться водой нехорошо, и попроси вежливенько извинения за то, что мы задержали его. Скажи, что это необходимо было сделать для того, чтоб толпа поскорей разошлась и восстановилось движение транспорта.

– Хорошо, – согласился Свистулькин.

– Да приведи его, кстати, сюда, я тоже попрошу извинения за то, что разговаривал с ним слишком строго.

Такой разговор между милиционерами может показаться кому-нибудь странным и даже неправдоподобным. Все понимают, что любой милиционер обязательно придумал бы для задержанного нарушителя порядка какое-нибудь хотя бы самое малое наказание и уж во всяком случае не стал бы перед ним извиняться. Однако следует учесть, что в Солнечном городе всё было по-своему. Когда-то давно в Солнечном городе, как и в других городах, случалось, что некоторые коротышки вели себя плохо. Они дрались между собой, швырялись камнями и грязью, обливались водой, некоторые даже брали чужие вещи и вообще обижали друг друга. Для борьбы с такими нарушителями порядка была создана милиция, которая имела право наказывать виновных. Если кто-нибудь дразнился, показывал язык, нарушал правила уличного движения, ездил на автомобиле не там, где надо, обливался водой, плевался или дразнил собак, то милиционер обязан был сделать виновному внушение и прочитать нотацию длиной от пяти до пятидесяти минут. Чем больше была вина, тем длиннее читалась нотация. За более тяжёлые провинности накладывались более строгие взыскания, например: за удар кулаком в грудь, спину, бок или по затылку полагались одни сутки ареста; за удар по лицу или по голове – двое суток ареста; за бросание камнем или удар палкой полагалось трое суток. Если в результате удара получался синяк, ссадина или царапина, то давали уже пять суток, а если шла кровь, то десять. Если кто-нибудь брал чужое, то полагалась самая большая кара – пятнадцать суток.

Некоторые могут подумать, что пятнадцать суток ареста – это слишком небольшой срок за такие провинности, как кража, но для маленьких коротышек, для которых время тянется гораздо медленней, чем для нас, этот срок довольно большой. Во всяком случае, он вполне достаточен для того, чтоб почувствовать раскаяние.

Нужно сказать, что борьба с нарушителями порядка подобными методами всё же не приносила заметных результатов до тех пор, пока коротышки не поумнели. Однако со временем они стали настолько умными, что никто никогда больше ни с кем не дрался, никто никого больше не бил, не обижал, никто не брал чужого. Каждый стал понимать, что поступать с другими надо так, как хочешь, чтоб с тобой поступали. Нарушителей порядка становилось всё меньше, и милиционеры постепенно даже начали забывать, что у них когда-то были разные

страшные наказания, вроде сажания под арест. Слово «арест» было совершенно забыто, и никто теперь даже не знал, что оно значит.

Из всех наказаний, оставшихся от прошлых времён, были нотации, то есть выговоры, которые милиционеры читали нарушителям правил уличного движения, главным образом автомобилистам. Короче говоря, у милиции остались только обязанности регулировать движение автотранспорта, переводить через улицу малышей и малышек, которые сами боялись переходить дорогу, и показывать, как пройти и проехать куда кому нужно было. Таким положением дел милиционеры были очень довольны, потому что у них стало значительно меньше забот по воспитанию коротышек, а это было очень кстати, так как задачи регулирования уличного движения с каждым днём становились сложнее из-за огромного роста автомобильного транспорта.

ГЛАВА СЕМНАДЦАТАЯ

Встреча с Кубиком

Пока Свистулькин и Караулькин разговаривали, Незнайка сидел в пустой комнате. Он очень испугался, когда попал туда. Первой его мыслью было бежать. Он попробовал отворить дверь, но она оказалась запертой; попробовал открыть окно, но оно тоже не отворялось. Тогда он решил вышибить стекло и принялся стучать по нему кулаками, но стекло было такое толстое и крепкое, что не разбивалось.

Выбившись из сил, Незнайка уселся на подоконнике. В окно ему были видны только кусочек двора и ровная серая стена соседнего дома. Незнайка смотрел на эту стену, смотрел, и ему стало скучно. Ни разу в жизни ему не приходилось сидеть взаперти. Он всегда мог делать что хочет, идти куда хочет, вокруг него всегда были друзья, с которыми можно было поговорить, посмеяться и пошутить, а теперь он был совершенно один. Ему почему-то очень захотелось плакать, и слёзы закапали из его глаз, но как раз в этот момент он увидел, что во дворе появились Кнопочка и Пёстренький. Они растерянно оглядывались по сторонам, потом увидели в окне Незнайку и стали что-то кричать ему. Незнайка изо всех сил напрягал слух, но не мог расслышать ни слова, так как стекло было очень толстое и не пропускало звуков. Кнопочка махала Незнайке руками, делала пальцами какие-то знаки, но Незнайка только тряс в ответ головой, стараясь показать, что он ничего не понимает. Тогда Кнопочка подняла валявшуюся на земле палочку и принялась махать ею в воздухе.

«Чем она там машет? – с недоумением спрашивал сам себя Незнайка. – Вот глупая! Подняла с земли какую-то палочку и машет ею».

Тут Незнайка неожиданно треснул себя ладонью по лбу и закричал:

– Ах я осёл! Совсем забыл, что у меня волшебная палочка есть!

Он поскорей сунул за пазуху руку, чтоб достать волшебную палочку, но тут отворилась дверь и вошёл милиционер Свистулькин. Он протянул к Незнайке руку и хотел что-то сказать. Незнайка с испугом отскочил в сторону, выхватил поскорей палочку, замахал ею и закричал:

– Хочу, чтоб стены милиции рухнули и я невредимый выбрался на свободу!

Вокруг затрещало, загремело, загрохотало. Стены комнаты неожиданно рухнули, потолок обвалился, пыль поднялась столбом. На Незнайку сверху что-то посыпалось. Милиционера стукнуло кирпичом по каске так, что в ушах у него зазвенело и он упал. Незнайка недолго думая выскочил во двор. Кнопочка и Пёстренький схватили его за руки и бегом потащили к воротам. Милиционер Свистулькин с трудом выкарабкался из-под обломков. Каска слетела с его головы, но он даже не обратил на это внимания и помчался за беглецами.

Он бежал и громко пыхтел. Ушибленная кирпичом голова сильно болела и даже кружилась. От этого он бежал не по прямой линии, а по зигзагообразной. Почувствовав, что голова сильно болит и даже как бы гудит, милиционер Свистулькин махнул на Незнайку рукой и прекратил погоню.

Некоторое время Незнайка, Кнопочка и Пёстренький без оглядки бежали по улице. Вскоре они увидели, что за ними никто не гонится, и пошли не спеша. Кнопочка тут же принялась стыдить Незнайку.

— Эх ты, путешественник! — укоризненно говорила она. — Ну зачем мы сюда приехали? Для того чтоб драться и водой обливать прохожих? Пошёл осматривать город, а сам из-за резиновой кишки подрался!

— Ты не сердись, Кнопочка, — ответил Незнайка. — Я больше не буду так делать. Теперь мы будем осматривать город, как настоящие путешественники.

Друзья пошли по улице, разглядывая витрины магазинов. На углу они увидели киоск с газированной водой, такой же, как им уже встретился в зоопарке. Заметив прилавок с краниками и кнопками, Пёстренький сказал:

— Не мешало бы после такой пробежки выпить газированной водички с сиропом.

Друзья подошли к киоску, принялись нажимать кнопки и пить газированную воду с разными сиропами. Пёстренький выпил шесть или семь стаканов, но не хотел уходить от киоска, хотя и пить уже больше не мог. Увидев неподалёку от киоска скамейку, Незнайка сказал:

— Давайте посидим и отдохнём, а если кому-нибудь попить захочется, то можно будет сбегать к киоску.

Все уселись на лавочке. Перед ними на противоположной стороне улицы стоял пятиэтажный дом. Под крышей дома во всю стену была картина, на которой были нарисованы Красная Шапочка и серый волк, встретившиеся в лесу. Кнопочка сейчас же принялась рассказывать сказку про Красную Шапочку. Это было очень интересно, так как можно было слушать сказку и одновременно смотреть на картину. Однако Незнайка и Пёстренький слушали не очень внимательно и поминутно бегали к киоску, чтобы попить водички. Кнопочку это, конечно, сердило, так как самое скверное дело – это когда рассказываешь сказку, а тебя всё время перебивают.

Наконец сказка была рассказана, хотя на это из-за всех перерывов ушло целых полчаса. Незнайка вскочил, чтобы снова бежать к киоску, но вдруг зашатался и принялся хвататься руками за Кнопочку и Пёстренького.

– Что с тобой? – испугалась Кнопочка.

– Голова кружится! – простонал Незнайка и чуть не упал.

Кнопочка и Пёстренький подхватили его под руки и усадили обратно на лавочку.

– Это ты, наверно, газированной водой опился, – сказал Пёстренький.

– Как ты себя чувствуешь? – беспокоилась Кнопочка.

– Сейчас уже немножко лучше, а сначала показалось даже, будто дом вертится.

– Какой дом?

– Вон тот, что напротив.

Кнопочка и Пёстренький взглянули на дом и тоже принялись хвататься друг за дружку руками. Им показалось, что дом, который вначале был повёрнут к ним лицевой стороной, теперь повернулся боком. Картина теперь уже была видна под углом, и на ней трудно было разглядеть серого волка и Красную Шапочку. Пёстренький даже головой затряс от неожиданности и упал на скамейку рядом с Незнайкой. В это время к ним подошёл коротышка, житель Солнечного города, и спросил:

– Что с вами?

– Голова кружится. Нам почему-то кажется, что дом вертится, – ответила Кнопочка.

– Вы, наверно, приезжие? – спросил коротышка, присаживаясь на скамью рядом.

– Приезжие, – ответила Кнопочка. – Как вы догадались?

– Догадаться нетрудно, так как все наши жители знают, что дом на самом деле вертится.

– Как – вертится? – воскликнули разом Незнайка и Пёстренький.

– Самым обыкновенным образом, – сказал коротышка. – Правда, он вертится не так быстро, чтоб было видно с первого взгляда, но если присмотреться внимательно, то вращение можно заметить.

Путешественники понемногу пришли в себя, снова взглянули на дом и заметили, что он уже начал поворачиваться своей обратной стороной. Картины с Красной Шапочкой уже совсем не было видно.

– Вот удивительно! – воскликнул Пёстренький. – То есть... тьфу!.. что это я говорю! Ничего удивительного, конечно, нет. Самый обыкновенный вертячий дом.

– Не вертячий, а вращающийся, – поправил коротышка.

– А я всё-таки не могу понять, как он вертится, – сказал Незнайка.

– Мне нетрудно будет вам объяснить, потому что я по специальности архитектор и знаю, как это делается, – сказал коротышка.

– Расскажите, пожалуйста, это очень интересно, – попросила Кнопочка.

– Видели ли вы когда-нибудь, как передвигают большие, многоэтажные дома? – начал свой рассказ архитектор и, узнав, что путешественники никогда этого не видели, продолжал: – Под фундамент дома подводят рельсы, и дом, как на колёсах, перевозят на новое место. Построить вращающийся дом ещё легче, так как под него сразу при постройке закладывают кольцевые рельсы. Для того чтоб вращать дом, необходим небольшой электромотор, гораздо менее мощный, чем тот, который требуется для передвижки дома.

– Это понятно, – сказал Незнайка. – Но для чего нужно, чтоб дом вертелся? Разве плохо, когда дом спокойно стоит на месте?

– Это, конечно, не плохо, – согласился архитектор. – Но вращающийся дом имеет некоторые преимущества. Известно, что окна обычных домов могут быть обращены на все четыре стороны света – на север, юг, восток и запад. В окна, которые обращены на юг, солнце может светить весь день, но зато в комнаты, окна которых обращены на север, солнце никогда не заглядывает. В таких комнатах жить очень скучно, потому что каждому хочется видеть солнышко. Этот недостаток полностью устранён во вращающихся домах. Дом, который находится перед нами, совершает полный оборот за час, поэтому в каждое окно, с какой бы стороны оно ни находилось, солнце заглядывает через каждый час. Таким образом, в каждом вращающемся доме все квартиры светлые и весёлые.

– Я, кажется, начинаю уже кое-что понимать, – сказал Незнайка. – Интересно, кто это придумал делать вращающиеся дома?

– Первый проект вращающегося дома создал архитектор Вертибутылкин. Это было несколько лет назад. С тех пор многие архитекторы подхватили его идею, и у нас уже довольно большое количество таких зданий. Есть дома, которые совершают один оборот не за час, а за два, три и даже четыре часа. Если у вас есть желание, мы можем совершить с вами небольшую экскурсию и познакомиться с архитектурой города.

– Это чрезвычайно интересно! – воскликнула Кнопочка. – Но не будет ли это для вас трудно?

– А чего там трудного? – сказал Пёстренький. – Не дрова ведь колоть!

– А ты, Пёстренький, лучше бы помолчал, если не можешь ответить вежливо, – сказала Кнопочка.

– Пёстренький прав, – добродушно ответил коротышка. – Это действительно не дрова колоть, к тому же мне очень приятно познакомиться с любознательными путешественниками. Меня зовут Кубик. Архитектор Кубик.

– А меня Незнайка, а её вот Кнопочка, – сказал Незнайка.

– Вот мы и познакомились! – подхватил Кубик, пожимая своим новым знакомым руки. – Очень рад! Очень рад! А теперь прошу последовать всех за мной.

Кубик зашагал по улице. Незнайка, Кнопочка и Пёстренький поспешили за ним. Сначала Кубик показал путешественникам ещё один дом, который был сделан в виде уступов. Он сказал, что такие дома носят название ступенчатых. Этот ступенчатый дом не имел эскалатора, но был оборудован движущимися конвейерными дорожками, вроде транспортёров, сидя на которых жильцы поднимались вверх или спускались вниз. После этого была осмотрена улица, застроенная круглыми вращающимися домами башенного типа, с гладкими спиральными спусками, по которым можно было съезжать на ковриках. На следующей улице Кубик показал путешественникам два очень красивых дома. Один из этих домов представлял собой нагромождение каменных полушарий. В каждом полушарии имелись полукруглые окна и двери. Нужно думать, что и комнаты в этом доме были все сплошь полукруглые. Другой дом был как бы сложен из множества поставленных друг на друга бочонков. Каждый бочонок был высотой в два этажа, и как в первом, так и во втором этажах были проделаны окна. Оба эти дома были построены, как сказал Кубик, для любителей жить в круглых комнатах.

Повернув за угол, путешественники очутились в Музыкальном переулке, где все дома были построены в виде каких-нибудь музыкальных инструментов. Один дом был в виде пианино, другой – в виде рояля, третий – арфы, четвёртый – аккордеона, пятый – барабана. Только один угловой дом был сделан почему-то в виде глиняного горшка. На следующей улице путешественники увидели дом совсем необычного типа. Он не стоял на земле, а висел в воздухе, прицепленный к огромному воздушному шару.

– Неужели находятся желающие жить в этом воздушном доме? – удивилась Кнопочка.

– Отбою нет! – сказал Кубик. – Столько желающих, что мы решили построить ещё несколько таких домов. Жителям нравится каждый день преодолевать трудности и опасности: карабкаться по проволочным лестницам, прыгать вниз с парашютами или спускаться, скользя по тросу.

– Я бы тоже не отказался пожить в таком доме, – сказал Незнайка.

– А теперь минутку терпения, и я познакомлю вас со старинной архитектурой, – сказал Кубик. – Сейчас мы попадём с вами в так называемый архитектурный заповедник.

Путешественники прошли по переулку и очутились в квартале, который был застроен домами с колоннами. Здесь были колонны и прямые, и кривые, и кручёные, и витые, и спиральные, и наклонные, и приплюснутые, и косопузые, и блинообразные, и даже такие, которым не подберёшь имени. Карнизы у домов тоже были и прямые, и косые, и кривые, и ломаные, и зигзагообразные. У одних домов колонны находились не внизу, как полагается, а сверху, на крышах; у других домов колонны были внизу, зато сами дома стояли вверху, над колоннами; у третьих колонны были подвешены к карнизам и болтались над головами прохожих. Был дом, у которого карниз находился внизу, а колонны стояли вверх ногами и вдобавок покосились набок. Был также дом, у которого колонны стояли прямо, но сам дом стоял косо, словно собирался рухнуть на головы прохожих. Ещё был дом, у которого колонны наклонились в одну сторону, а сам дом наклонился в другую, так что при взгляде на него казалось, будто всё это сейчас рухнет и рассыплется на кусочки.

– Вы на эти косые дома не смотрите, – сказал Кубик. – Когда-то у нас была мода увлекаться строительством домов, которые ни на что не похожи. Вот и наделали такого безобразия, что теперь даже смотреть совестно! Вот, например, дом, который словно какая-то неземная сила приплюснула и перекосила на сторону. В нём всё скособочено: и окна, и двери, и стены, и потолки. Попробуйте поживите с недельку в таком помещении, и вы увидите, как быстро переменится ваш характер. Вы станете злым, мрачным и раздражительным. Вам всё время будет казаться, будто должно случиться что-то скверное, нехорошее. И всё оттого, что наклонные стены вашей комнаты как бы постоянно угрожают падением, и вы никак не можете отделаться от впечатления какой-то неотвратимой беды. К счастью, в этих кособоких домах теперь уже никто не живёт. Одно время их даже хотели разобрать, но потом решили оставить в назидание на будущее, чтоб никому больше не приходило в голову строить подобные нелепые сооружения.

– И это помогло? – спросил Незнайка.

– Помогло, – сказал Кубик. – Но ненадолго. Некоторые архитекторы не могли сразу отделаться от старых привычек. Нет-нет, а какой-нибудь из них возьмёт да и построит дом, перед которым только стоишь и руками разводишь. Однако впоследствии знаменитый архитектор Арбузик нашёл замечательный способ строить очень красивые здания без всех этих фокусов-покусов. К тому же он изобрёл целый ряд новых строительных материалов, как, напри-

мер, облегчённая прессованная пенорезина, из которой можно строить складные портативные дома; гидрофобный картон, который не боится ни холода, ни жары, ни дождя, ни ветра; синтетический пластилин для лепных украшений и строительная пенопластмасса, которая в воде не горит и в огне не тонет, то есть... тьфу!.. в огне не горит и в воде не тонет, а также разноцветный светящийся пенофеногорох, изготовляемый из простых гороховых стручьев,

который тоже ничего не боится, почти ничего не весит и в то же время обладает твёрдостью стали. Сейчас я познакомлю вас с домами, построенными архитектором Арбузиком из строительной пенопластмассы и пенофеногороха. Это недалеко отсюда, на улице Творчества.

Кубик снова зашагал впереди всех. Нужно сказать, что в Солнечном городе на каждом углу попадались кнопочные киоски с газированной водой. Незнайка и Пёстренький считали своим долгом остановиться перед каждым киоском и выпить по стакану воды. Это их развлекало, и им не так скучно было знакомиться с архитектурой. Неожиданно Кубик остановился, взглянул на часы и, хлопнув себя ладонью по лбу, закричал:

– Батюшки! Совсем из головы выскочило! Мне ведь надо на заседание архитектурного комитета. Будет решаться вопрос о строительстве вращающихся домов. Не хотите ли поехать со мной? А потом я продолжу свой рассказ об архитектуре, и мы с вами посмотрим дома Арбузика.

– Я согласен, – ответил Незнайка. – Мне ещё ни разу не удавалось попасть на заседание архитектурного комитета.

– Я тоже поеду с удовольствием, – согласилась Кнопочка.

– Ну, и я с удовольствием, – подхватил Пёстренький. – Только если это, конечно, не будет вам трудно, – добавил он.

– Нет, это нисколько не трудно, – ответил с улыбкой Кубик. – Не дрова ведь колоть!

ГЛАВА ВОСЕМНАДЦАТАЯ
В архитектурном комитете

Незнайка давно заметил, что в Солнечном городе почти на каждом углу стояли небольшие деревянные столбики, окрашенные в яркие белые и чёрные полосы, благодаря чему их можно было увидеть на значительном расстоянии.

Подойдя со своими спутниками к такому полосатому столбику, Кубик остановился и нажал кнопку, имевшуюся на его верхушке.

— Это для чего кнопка? — спросил Незнайка.

— Для вызова такси, — объяснил Кубик. — Когда вам понадобится такси, подойдите к столбику и нажмите кнопку. Через минуту машина приедет.

Действительно, не прошло и минуты, как в конце улицы показался автомобиль. Он был окрашен в такие же яркие белые и чёрные полосы, как и столбик. Быстро приблизившись, автомобиль остановился у тротуара, и дверцы его открылись.

— Где же водитель? — с недоумением спросил Незнайка, заметив, что водителя за рулём не было.

— А водителя и не нужно, — ответил Кубик. — Это автоматическая кнопочная машина. Вместо водителя здесь, как видите, кнопки с названиями улиц и остановок. Вы нажимаете нужную кнопку, и машина сама везёт вас куда надо.

Все сели в машину, Кубик сказал:

— Вот смотрите, я нажимаю кнопку, где написано: «Архитектурная улица», и...

Он нажал одну из кнопок на щитке приборов, и... машина тронулась с места.

— Стойте, что вы делаете? — закричал Пёстренький, хватая Кубика за руку. — А вдруг машина наедет на кого-нибудь?

— Машина не может ни на кого наехать, потому что в ней имеется ультразвуковое локаторное устройство, при помощи которого предотвращается возможность какого бы то ни было наезда или столкновения, – сказал Кубик. – Обратите внимание на два больших рупора, которые установлены впереди. Один рупор всё время посылает вперёд ультразвуковые сигналы. Как только впереди появляется какое-нибудь препятствие, ультразвуковые сигналы начинают отражаться, то есть как бы отскакивать от него обратно, и попадают во второй рупор. Здесь ультразвуковая энергия преобразуется в электрическую. Электрическая же энергия включает тормоз или механизм поворота. Если препятствие небольшое, машина его объедет, так как включится механизм поворота; если большое – остановится, потому что включится тормоз. Такие же рупоры имеются у машины сзади и по бокам, для того чтобы ультразвуковые сигналы могли посылаться во все стороны…

– А какие это ультразвуковые сигналы? – спросил Незнайка.

– Это… как бы вам сказать… такие очень тоненькие звуки, что мы с вами их даже слышать не можем, но они всё-таки обладают энергией, как и те звуки, которые мы слышим.

В это время машина подъехала к перекрёстку и остановилась у светофора.

– В машине также имеется оптическое устройство, которое включает тормоз при красном светофоре, – сказал Кубик.

Автомобиль действительно стоял перед светофором до тех пор, пока не загорелся зелёный свет.

– Что ж, в этом ничего удивительного нет, – сказал Пёстренький. – Удивительно только, откуда машина знает, куда надо ехать.

– Машина, безусловно, ничего знать не может, – ответил Кубик. – Но всё же она отвезёт вас куда надо, после того как вы нажмёте кнопку, потому что в механизме имеется так называемое электронное запоминающее устройство. Запоминающим это устройство называется потому, что машина как бы запоминает маршруты, по которым ездит. Каждый новый автомобиль, оборудованный этим устройством, первое время ездит с водителем и проходит как бы курс обучения. Начиная такие учебные поездки, водитель обычно нажимает кнопку с названием какой-нибудь улицы, после чего ведёт машину на эту улицу, потом нажимает кнопку с названием другой улицы и ведёт машину на другую улицу. Рулевое управление автомобиля связано с электронным запоминающим устройством, поэтому когда в следующий раз нажимают кнопку, то электронное устройство само направляет автомобиль по заданному маршруту, и машина может ехать совсем без водителя.

– Ну, если так, то действительно ничего удивительного нет, – сказал Пёстренький. – Вот если бы никакого устройства не было, а машина сама везла нас куда надо – это было бы удивительно.

– Интересно, а как устроено это электронное устройство? – спросил Незнайка. – Оно, что ли, на электрических лампочках или ещё как?

– Оно не на лампочках, а на полупроводниках, – сказал Кубик. – Но я не могу рассказать подробно, так как и сам толком не знаю.

– А зачем у машины руль, если она сама везёт куда надо? – спросил Пёстренький.

– Это если вам понадобится куда-нибудь далеко ехать. За город кнопочная машина не может везти, так как для загородных поездок понадобилось бы слишком сложное запоминающее устройство. Но вы можете сесть за руль и вести машину сами. Как только вы возьмёте руль в руки, запоминающее устройство автоматически выключается и машина начинает работать, как обыкновенный автомобиль.

Скоро машина повернула за угол и остановилась напротив красивого четырёхэтажного дома. В этом доме всё было разное: стены разные, балконы разные, колонны разные, двери разные, окна тоже разные: и круглые, и полукруглые, и треугольные, и четырёхугольные, и вытянутые, и квадратные, и ромбические, и овальные. Стоило обойти дом вокруг, и сразу можно было изучить, какие бывают окна, двери, балконы, колонны и прочие архитектурные детали. На крыше дома было множество башенок и кирпичных беседок со шпилями и без шпилей. Они лепились друг к дружке, как опёнки вокруг старого пня. Казалось, что на доме помещался целый башенный городок. Если кто-нибудь строил новый дом и хотел украсить его сверху башней, то ему стоило только прийти сюда и выбрать тот тип башни, который больше нравился.

Широкая асфальтированная площадка перед домом была заполнена автомобилями и мотоциклами разных систем, а возле самого входа лежала огромная куча велосипедов.

– Все, как видно, уже собрались, и мы с вами чуточку опоздали. Но это ничего, – сказал Кубик.

Путешественники вышли из машины и под предводительством Кубика направились к дому. Поднявшись по широкой лестнице и войдя в дверь, они очутились в большом светлом зале, наполненном коротышками, которые сидели на стульях, будто в театре. Впереди за столом сидел председатель, направо от него была кафедра, за которой стоял коротышка в чёрном костюме и делал доклад. Перед ним на кафедре возвышался целый ворох свёрнутых в трубки чертежей, которые он разворачивал и показывал слушателям. Он всё время забывал, о чём говорить, и поминутно заглядывал в тетрадочку, где у него было всё записано. Однако он плохо видел и ему приходилось надевать на нос очки, которые он каждый раз куда-нибудь совал, так что потом долго рылся в карманах и никак не мог отыскать.

– Это Вертибутылкин, – шёпотом сообщил своим спутникам Кубик. – Он уже начал доклад, но это не беда. Надо слушать внимательно, и мы всё поймём.

Отыскав три свободных места в одном из последних рядов, Кубик усадил на них Незнайку, Пёстренького и Кнопочку, а сам сел на свободное место в другом ряду.

Незнайка и Кнопочка принялись усердно слушать, однако не могли ничего понять, потому что Вертибутылкин говорил слишком учёным языком. Пёстренький тоже старался понять хоть что-нибудь и с такой страшной силой напрягал мозг, что через минуту голова его свесилась набок и он заснул. Кнопочка принялась толкать его; он проснулся, но через минуту голова его свесилась в другую сторону, и он задремал снова. Незнайка изо всех сил таращил глаза и чувствовал, что его тоже непреодолимо клонит ко сну.

К счастью, Вертибутылкин скоро кончил доклад и председатель сказал:

– Теперь давайте обсудим, можно строить вращающиеся дома или нет.

Сейчас же к столу подошёл коротышка в синем костюме с белыми полосочками и с таким же полосатым галстуком. Он сказал:

— Вертибутылкин сделал очень хороший доклад. Вертящиеся дома, как показал опыт, строить можно, никто с этим не спорит. Но надо ли их нам строить — вот в чём вопрос. Главная беда заключается в том, что у коротышек, живущих во вращающихся домах, нарушаются правильные представления об окружающей действительности. Я знаю, о чём говорю, потому что сам живу в вертящемся доме. Вот послушайте, что получается: за день солнце раз десять — двенадцать появляется в окнах моей квартиры и столько же раз исчезает. Как только солнце появляется, мне начинает казаться, что наступило утро, но как только солнце исчезает, мне кажется, что пришёл вечер и пора ложиться спать. К полудню я уже не знаю, что сегодня — сегодня, или уже вчера, или, может быть, завтра, а к вечеру мне кажется, что прошёл не один день, а по крайней мере двенадцать. Я уже начинаю думать, что в сутках не двадцать четыре часа, как было раньше, а всего только час, поэтому я постоянно спешу и ничего не успеваю сделать. Мне кажется, что солнце теперь уже не ходит по небу медленно, а летает быстро, как муха.

Все засмеялись. К столу подошла малышка в беленьком платьице и сказала:

— Всё это ещё не так страшно, потому что вы живёте в доме, который вращается справа налево; поэтому когда вы смотрите в окно, то

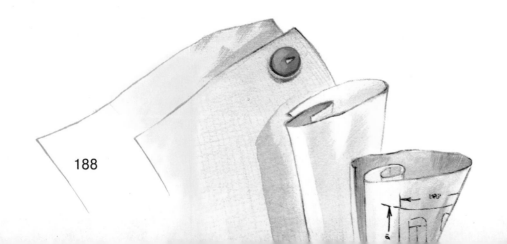

вам кажется, что солнце ходит по небу слева направо, то есть с востока на запад, как полагается. Но у меня есть подруга, которой кажется, что солнце ходит шиворот-навыворот, потому что её дом вращается не так, как ваш, а в обратную сторону. Она, то есть эта моя подруга, уже не знает, что бывает сначала – утро или вечер, не представляет себе по-настоящему, где запад и где восток. В голове у неё всё перепуталось, и за последнее время она даже перестала различать, где у неё правая и где левая рука.

Все засмеялись снова, а в это время к столу подошёл ещё один архитектор. Он был низенький, худенький, голова огурцом; говорил быстро, будто сыпал горохом. Вместо буквы «х» у него получалось «ф», а вместо «п» – тоже «ф».

– Всё это чефуфа! – сказал он. – Солнце не муфа, и летать фо небу оно не может. Наука установила, что солнце стоит на месте, а земля вертится. Все мы вертимся вместе с землёй, фоэтому нам и кажется, будто солнце фодит фо небу. А раз нам это только кажется, то не всё ли равно, как оно фодит – быстро или медленно, слева нафраво или сфрава налево, с зафада на восток или с востока на зафад?

Тут к столу подскочил новый оратор и закричал:

– Как это – всё равно? Нужно, чтоб всем казалось, что есть, а не то, чего вовсе нет. Не хватает только, чтоб мы перестали различать, где право, где лево! А что будет, если все станут затылком вперёд ходить?

– Ну, до этого ещё далеко! – закричал кто-то.

Спор разгорался. Незнайке было интересно узнать, к какому решению придут архитекторы. Ему даже спать расхотелось. Но Пёстренький разоспался так, что Кнопочка была не в силах его разбудить. Тогда она решила оставить его в покое, и сначала всё шло хорошо, но потом он начал падать со стула, и Кнопочке пришлось крепко держать его за шиворот, чтоб он не свалился на пол. Дальше дело пошло ещё хуже, так как Пёстренький начал громко храпеть, и, сколько Незнайка его ни толкал, он никак не хотел униматься. Кончилось тем, что Незнайка и Кнопочка подхватили его под руки и потащили к выходу. Пёстренький кое-как перебирал на ходу ногами, а голова его качалась из стороны в сторону, как хлебный колос во время бури.

– Ишь как его разморило! – говорил Незнайка. – Ну, ничего, сейчас мы вытащим его на улицу. Может быть, он на свежем воздухе разгуляется.

ГЛАВА ДЕВЯТНАДЦАТАЯ

В театре

Выйдя на улицу, Незнайка и Кнопочка поволокли Пёстренького в садик, который был рядом с домом. В центре садика был устроен фонтан, а вокруг стояли столы и стулья. Они, наверно, были поставлены здесь для того, чтоб архитекторы могли посидеть и подышать свежим воздухом в перерывах между заседаниями.

Подтащив Пёстренького к фонтану, Незнайка и Кнопочка стали брызгать ему в лицо водой. Пёстренький сразу очнулся от сна и сказал:

— Это что? Зачем умываться? Обедать будем?

— Вот правильно! Умывайся, и будем обедать, — сказал Незнайка, доставая волшебную палочку.

Все трое умылись водой из фонтана и уселись за стол, на котором по мановению волшебной палочки появилась скатерть-самобранка с разными угощениями.

Пообедав, путешественники хотели вернуться обратно на заседание архитектурного комитета, но в это время на улице послышалась музыка. Незнайка, Кнопочка и Пёстренький выбежали из садика и увидели двух коротышек, которые шли по улице и играли на каких-то необыкновенных музыкальных инструментах. У одного висело на ремешке через плечо что-то вроде бочонка, оба донышка которого были усеяны белыми пуговками. Коротышка нажимал на пуговки пальцами, отчего бочонок издавал звуки точь-в-точь как гармоника или аккордеон. Другой музыкант держал в руках небольшую трубочку с клапанами. Он нажимал пальцами на клапаны, и трубочка насвистывала как бы сама собой. Её звуки были чистые и нежные, как у свирели, а мелодия такая весёлая, что хотелось слушать не переставая.

Все трое – и Незнайка, и Кнопочка, и Пёстренький, – не сказав друг другу ни слова, отправились следом за музыкантами. А музыканты шагали по улице и всё время играли. Когда одна мелодия кончалась, они тут же начинали другую. Прохожие приветливо поглядывали на них и уступали им дорогу. Видно было, что в Солнечном городе любили хорошую музыку и с удовольствием слушали.

Через некоторое время музыканты остановились, и тот, у которого был бочонок, сказал:

– Стой-ка, братец, давление упало. Надо накачать воздуха.

Он достал из кармана велосипедный насос и, присоединив к бочонку, начал накачивать в него воздух. Незнайке очень хотелось узнать, что это за инструмент, и он спросил:

– Скажите, пожалуйста, что это за бочечка, на которой вы играли?

– Это не бочечка, а пневматическая гармоника, – сказал музыкант.

– А для чего вы в неё накачиваете воздух?

– Как же без воздуха? – удивился музыкант. – Без воздуха она играть не станет.

Он тут же отделил от бочонка донышко и показал имеющиеся в нём отверстия с тонкими металлическими пластинками.

– Вот смотрите: воздух, проходя сквозь эти отверстия, колеблет металлические пластинки, и они издают звуки. В обыкновенной гармонике, чтоб проходил воздух, вам надо непрерывно растягивать мехи. Играя на пневматической гармонике, вам не надо растягивать мехи, так как воздух заранее накачивается в специальный резервуар. Вот он резервуар, смотрите.

– А это пневматическая флейта, которая тоже работает на сжатом воздухе, – сказал другой музыкант, показывая путешественникам свою флейту. – Играя на обыкновенной флейте, музыканту приходится всё время дуть в неё, пока у него не заболит от дутья голова. А на пневматической флейте я могу играть хоть весь день, и голова не станет болеть. Раньше у нас все играли на простых флейтах, а теперь они уже вышли из употребления.

Музыканты снова заиграли и отправились дальше. Незнайка и его спутники тоже пошли по улице. Они слушали музыку и наблюдали уличную жизнь коротышек. Время было обеденное, поэтому многие малыши и малышки сидели за столами и обедали на открытом воздухе. Многие, пообедав, никуда не уходили, а оставались тут же и принимались играть в шахматы, шашки и прочие настольные игры. Другие принимались читать газеты, журналы или рассматривали книжки с картинками.

Нужно сказать, что характер у жителей Солнечного города был очень общительный. Если кому-нибудь в книге попадалось смешное место, то, посмеявшись сам, он тут же подходил к остальным коротышкам и читал это место вслух, чтоб всем было смешно. Если кто-нибудь, отыскав в журнале смешную картинку, начинал смеяться, то остальные без всякого стеснения подходили посмотреть на эту картинку и тоже смеялись...

Время приближалось к вечеру. Солнышко уже припекало меньше, и на улице появлялось всё больше малышей и малышек. Навстречу всё чаще попадались музыканты. Малыши играли главным образом на пневматических гармониках, флейтах и трубах, а малышки – на музыкальных тамбуринах. Музыкальный тамбурин – это такой кругленький инструмент вроде сита. С одной стороны у него сделан бубен, а с другой натянуты струны, как у арфы. Кроме того, по бокам имеются ещё колокольчики, которые могут звенеть на разные голоса.

Теперь музыка доносилась со всех сторон, и это было очень удобно, так как можно было стоять на месте и слушать сколько душе угодно.

Остановившись возле дома с большой полукруглой аркой в стене, завешанной красивым занавесом, Незнайка и его спутники увидели, как несколько малышей начали выносить из помещения стулья и ставить их на улице перед занавесом.

– Это для чего стулья? Что здесь будет? – спросил Незнайка.

– Эстрадный театр, – ответил один из малышей. – Садись вот на стул – увидишь.

– Сядем? – спросил Незнайка Кнопочку и Пёстренького.

– Сядем, – согласились они.

Все уселись в первом ряду, перед самым занавесом. Ряды стульев постепенно заполнялись зрителями. На улице скоро стемнело. Прозвонил звонок. По краям арки зажглись яркие фонари, и перед освещённым занавесом появился коротышка в новеньком чёрном

костюме с белым галстуком в виде бабочки. Такие галстуки очень любят носить артисты, так как это отличает их от обыкновенных, простых коротышек. Его чёрные волосы были гладко причёсаны и блестели при свете направленных на него фонарей.

– Здравствуйте! – закричал этот чёрненький коротышка. – Начинаем эстрадное представление. Позвольте представиться. Я конферансье. Зовут меня Фантик. Я буду объявлять вам, какие должны выступать артисты. Сейчас перед вами выступит знаменитый артист-трансформатор, по имени Блинчик.

Незнайка и Пёстренький так и фыркнули, услышав это смешное имя. Занавес поднялся, и на сцену вышел из-за кулис артист в белом костюме и с флейтой в руках. Он был толстенький, кругленький, и лицо у него было румяное и кругленькое, как блин.

– Смотри, настоящий блинчик! – зашептал Пёстренький на ухо Незнайке.

Они оба затряслись от смеха. Артист между тем поклонился публике и заиграл на флейте. Незнайка и Пёстренький перестали смеяться. Им очень понравилось, как играл Блинчик, и они прониклись к нему уважением.

Окончив играть, Блинчик ушёл со сцены, но не успел он скрыться, как из-за кулис вышел артист в тёмно-синем костюме, с блестящей медной трубой в руках.

– Почему же Блинчик так скоро ушёл? – спросил Незнайка.

– Чудной ты! – засмеялась Кнопочка. – Это ведь и есть Блинчик.

– Что ты! – замахал Незнайка руками. – Блинчик был в белом костюме.

– А теперь он переоделся в синий костюм, – ответила Кнопочка.

– Чепуха! Не мог он так быстро переодеться! – продолжал спорить Незнайка.

Пока они спорили, артист сыграл на трубе и скрылся за кулисы, но в ту же секунду появился обратно в зелёном костюме, с гармоникой в руках.

– А это кто? – удивился Незнайка. – Тоже, может быть, скажешь – Блинчик?

– Конечно, Блинчик, – ответила Кнопочка. – Понимаешь, это такой артист, который умеет очень быстро переодеваться. Слышал, как Фантик сказал: «Артист-трансформатор»? Кто такой, по-твоему, трансформатор?

– Трансформатор? Не знаю. Я знаю только, что так быстро не переоденешься. Если бы ему только пиджак сменить, а то ведь и брюки.

– А ты не смотри на брюки. Посмотри на лицо и увидишь, что это всё тот же Блинчик.

Незнайка присмотрелся внимательней и увидел, что у артиста в зелёном костюме было точно такое же круглое и румяное лицо, как у Блинчика.

– И впрямь Блинчик! – воскликнул Незнайка. – Гляди, Пёстренький, это Блинчик!

– Какой Блинчик? – удивился Пёстренький.

Незнайка принялся объяснять Пёстренькому, что это один и тот же артист. Пёстренький сначала не понимал, в чём дело, а когда понял, начал громко смеяться. А Блинчик между тем появлялся то в одном виде, то в другом и играл на разных музыкальных инструментах. Теперь у него менялась не только одежда, но даже лицо. Сначала он был безусый, потом приклеил себе длинные усы, потом чёрную бороду, надел на голову парик с рыжими курчавыми волосами. Потом борода у него исчезла, на голове появилась огромная лысина, а нос стал длинный, красный и смешно загибался в сторону. Незнайка так хохотал, глядя на эти превращения, что не заметил даже, как выступление артиста-трансформатора окончилось и Фантик объявил, что следующим номером будет выступать певица, по имени Звёздочка.

И вот на сцену вышла певица Звёздочка. На ней было длинное, до самого пола, платье белого цвета, с белым пушистым воротником и длинными полупрозрачными рукавами.

Увидев певицу, Незнайка громко захохотал.

– А рукава-то! Гляди, рукава! – зашептал он Пёстренькому. – Подумать только, нарядился в платье!

– Кто нарядился в платье? – не понял Пёстренький.

– Ну, Блинчик.

– Да разве это Блинчик?

– А кто же? Конечно, Блинчик.

– А я думал – певица Звёздочка.

– Какая там ещё Звёздочка? Это же трансформатор!

– А... – протянул Пёстренький и громко расхохотался. – Я-то гляжу, откуда тут вдруг певица взялась! А это, оказывается, Блинчик! Вот номер!

В это время заиграл оркестр, и певица запела. Незнайка и Пёстренький так и покатились со смеху. Они никак не ожидали, что у Блинчика окажется такой тоненький голос. Все вокруг сердились и просили их не шуметь, а Незнайка давился от смеха и говорил Пёстренькому:

– Вот чудаки! Они воображают, что это на самом деле певица.

Когда песня кончилась, все громко захлопали в ладоши, а Незнайка принялся кричать во всё горло:

– Браво, Блинчик!

– Довольно тебе чушь городить! – сказала ему Кнопочка. – Разве ты не видишь, что это не Блинчик?

– Кто же это? – удивился Незнайка.

– Это певица Звёздочка. Не слышал разве, как Фантик сказал?

– Тьфу! – с досадой плюнул Незнайка. – То-то я гляжу, что у неё лицо совсем не такое, как у Блинчика... Слушай, Пёстренький, это не Блинчик.

– Как – не Блинчик? – удивился Пёстренький.

– Да так, просто не Блинчик – и всё.

– Кто же это тогда?

– А шут их тут разберёт! Какая-то певица Звёздочка.

– Ну вот! – сердито проворчал Пёстренький. – То Блинчик, то не Блинчик! Совсем запутали публику! С ума тут с ними сойдёшь!

В это время певица запела новую песенку, но Незнайка уже не слушал. Теперь, когда он знал, что перед ним настоящая певица и никаких фокусов с переодеванием тут нет, ему было неинтересно. От скуки он начал вертеться на стуле и зевал во весь рот; наконец придумал для себя развлечение: прижимал ладони к ушам и тут же отпускал их. От этого вместо пения ему слышалось что-то вроде лягушиного кваканья. Певица с беспокойством поглядывала на него, так как он сидел впереди, на самом видном месте. Всё-таки она кое-как допела до конца песню, после чего ушла и больше не возвращалась. Незнайка очень обрадовался, но тут пришёл Фантик и объявил:

– А теперь перед вами выступит известный певец, по имени Фунтик.

На сцену вышел певец Фунтик в красивом коричневом костюме. Из бокового кармана у него торчал кончик кружевного платочка, а на шее был беленький бантик, такой же, как у Фантика.

Фунтик учтиво поклонился публике и запел мягким, приятным голосом. Все застыли в восторге. А когда пение кончилось, поднялась целая буря: кто хлопал в ладоши, кто стучал ногами, кто кричал «браво». Кнопочка тоже изо всех сил хлопала в ладоши и кричала «браво». Шум продолжался до тех пор, пока певец не запел снова.

– Ну вот! – сердито проворчал Незнайка. – Прямо наказание какое-то! То Звёздочка пищала, а теперь этот Фунтик донимать будет!

– Ты, Незнайка, какой-то чудной, – сказала Кнопочка. – Всем пение нравится, одному тебе почему-то не нравится.

– Э! – махнул Незнайка рукой. – Всем хочется показать, будто они много понимают в пении, вот и делают вид, что нравится.

– А вот и неправда! – ответила Кнопочка. – Я, например, никакого вида не делаю. Мне на самом деле нравится, как поёт Фунтик.

– «Фунтик, Фунтик»! – скорчив гримасу, передразнил Незнайка. – Скажи просто, что ты влюбилась в этого Фунтика!

– Я?! – вспыхнула Кнопочка.

– Ты! – угрюмо буркнул Незнайка.

– Влюбилась?!

– Влюбилась.

– Ах ты… Ах ты…

От негодования Кнопочка не находила слов и, замахнувшись, хотела ударить Незнайку кулаком по макушке, но вовремя сдержалась и, отвернувшись от него, с презрением сказала:

– Вот скажи мне ещё о любви хоть слово – увидишь, что будет! Я с тобой больше не разговариваю, так и знай!

Концерт между тем продолжался. После Фунтика выступали фокусники, акробаты, танцоры, клоуны. Всё это были очень весёлые номера, но Кнопочка даже не улыбнулась, глядя на них. Она не на шутку обиделась на Незнайку. Подумать только! Как он смел сказать, что она в кого-то влюбилась! Настроение у неё было испорчено, и выступления артистов уже не доставляли никакого удовольствия. Зато Незнайка и Пёстренький смеялись до упаду, то есть под конец представления упали со стульев, а Пёстренький даже ударился головой о ножку стула и набил на макушке шишку.

На этом представление окончилось, и через несколько минут наши путешественники уже мчались на кнопочном автомобиле обратно в гостиницу. Они ещё ни разу не ездили по городу ночью и поэтому не отрываясь глядели на изумительную картину, которая развёртывалась перед их глазами. Сверху над ними чернело ночное небо, но вокруг было светло как днём. Сначала им казалось, что свет лился откуда-то сверху, потом стало казаться, что свет

лился откуда-то снизу. На самом же деле свет лился со всех сторон, потому что и дома, и газетные киоски, и палатки с газированной водой, даже тумбочки на тротуарах – всё было окрашено светящимися красками.

Для окраски стен в Солнечном городе употреблялись жёлтые, светло-голубые, бледно-зелёные, нежно-розовые и так называемые телесные тона. Крыши, карнизы, балконы и оконные рамы окрашивались сочными рубиново-красными, изумрудно-зелёными, ярко-синими, фиолетовыми и коричневыми красками. Колонны домов обычно красились белым светящимся составом или слегка желтоватым. Днём эти краски ничем не отличались от обычных несветящихся красок, но обладали способностью поглощать солнечные лучи и накоплять световую энергию. Как только наступал вечер, они начинали испускать лучи разных цветов. Эти лучи сливались между собой, в результате чего от окрашенных стен, колонн, карнизов и прочих предметов струился мягкий, спокойный, приятный для глаз свет, и не было никакой надобности в фонарях.

Светящимися красками в Солнечном городе были покрыты не только строения, но даже автомобили и автобусы, которые во множестве двигались по мостовой. Если прибавить к этому, что картины, которые имелись на стенах многих домов, тоже были нарисованы светящимися красками, то можно представить себе, какой изумительный вид имел Солнечный город в ночное время.

ГЛАВА ДВАДЦАТАЯ

Как Незнайка и его друзья встретились с инженером Клёпкой

На следующее утро Кнопочка проснулась раньше всех. Пока Незнайка и Пёстренький спали, она сбегала на улицу за газетой и, возвратившись, стала читать. Сначала она читала спокойно, но потом вдруг у неё на лице появился испуг. Прибежав в комнату, где спали Незнайка и Пёстренький, она закричала:

– Вставайте скорее! Про нас написали в газете!

– Что ты? – удивился, просыпаясь, Незнайка. – Мы ведь, кажется, ещё ничего хорошего не сделали.

– Да тут ничего хорошего и не пишется. Вот читай!

Незнайка взял газету и стал читать напечатанную в ней заметку. Вот что там было написано:

«На Восточной улице, недалеко от Кисельного переулка, двое неизвестных прохожих, завладев шлангом для поливки цветов, использовали его не по назначению и, вместо того чтоб поливать цветы, начали поливать прохожих. Подоспевший на место происшествия милиционер Свистулькин задержал одного из нарушителей порядка и отправил его в отделение милиции. Сейчас же вслед за этим в помещении милиции произошёл обвал. Рухнули стены и потолок комнаты, в которой находились милиционер Свистулькин и задержанный им нарушитель. Как тот, так и другой не были найдены среди обломков разрушенного здания, и в настоящее время является загадкой, куда они делись. Несмотря на непрерывные поиски, ни милиционер Свистулькин, ни нарушитель порядка, имя которого осталось пока неизвестным, нигде обнаружены не были. Находившийся при исполнении служебных обязанностей милиционер Караулькин не мог дать никаких объяснений о причинах обвала, так как был в это время в другом помещении. Приняты все меры к отысканию исчезнувше-

го нарушителя порядка и милиционера Свистулькина. Причины обвала выясняются».

— Вот выяснят, что это ты своей волшебной палочкой устроил обвал, — за это небось не похвалят, — сказала Незнайке Кнопочка.

— Значит, надо молчать и никому не говорить, что у меня волшебная палочка есть, — ответил Незнайка.

206

– Но милиционер-то ведь видел у тебя палочку, – сказала Кнопочка.

В это время раздался стук в дверь. Незнайка вообразил, что это милиционер за ним пришёл, и уже хотел спрятаться от него под стол, но дверь отворилась и в комнату вошёл Кубик.

– Здравствуйте, дорогие друзья! – закричал он, широко улыбаясь. – Как я рад, что отыскал вас! Куда вы вчера пропали?

– Мы не пропали, – ответил Незнайка. – Просто Пёстренький задремал на заседании, и мы его вывели на улицу, чтоб он немножко проветрился.

– Ах, вот в чём дело! – воскликнул Кубик. – А я даже испугался и не знал, что делать. Я ведь не исполнил своего обещания – рассказать вам об архитектуре и показать дома Арбузика.

– Ну, это чепуха! – махнул Незнайка рукой.

– Нет-нет, это не чепуха! У нас принято сдерживать свои обещания. Я так волновался из-за этого, что ночью даже уснуть не мог. Потом я решил во что бы то ни стало разыскать вас утром и только после этого спокойно заснул.

– Как же вам удалось отыскать нас? – спросила Кнопочка.

– Я ведь знал, что вы приехали из другого города, поэтому я решил звонить по телефону во все гостиницы и спрашивать, не остановились ли у них Незнайка, Пёстренький и Кнопочка. Как раз в этой гостинице мне сказали, что Кнопочка здесь живёт.

– Вы очень догадливы, – похвалила Кубика Кнопочка.

– Подумаешь! – фыркнул Пёстренький. – Это каждый осёл догадался бы!

– Было бы хорошо, если бы ты догадался быть немножко повежливей, – сказала Кнопочка.

– Пёстренький прав,– засмеялся Кубик. – Это действительно каждый догадался бы сделать. А теперь, я думаю, мы можем отправиться на улицу Творчества и посмотреть дома архитектора Арбузика.

Все вышли из комнаты. В коридоре Пёстренький остановил Незнайку и сказал ему шёпотом:

— Это что же такое получается? Разве мы сегодня завтракать не будем?

— Подожди ты с завтраком! — сердито ответил Незнайка. — Не могу же я при Кубике устраивать завтрак! Никто не должен знать, что у нас волшебная палочка есть. Понял?

Путешественники спустились по лестнице, вышли из гостиницы и очутились на улице. Незнайка пугливо осмотрелся по сторонам. Он очень боялся, как бы не встретить милиционера Свистулькина. Увидев, что поблизости ни одного милиционера не было, Незнайка с облегчением вздохнул, но в это время у тротуара остановился автомобиль, и из него стремительно выскочил коротышка в светло-сером спортивном костюме с коротенькими штанами. На голове у него была какая-то блестящая круглая шапка с наушниками, напоминавшая не то каску, не то шлем, вроде тех, какие бывают у мотоциклистов. Незнайке показалось, что это милиционер, и внутри у него всё похолодело от испуга. Коротышка, однако, не обратил на Незнайку внимания, а подскочил к Кубику и закричал:

— Здравствуй, Кубик! Вот приятная встреча! Ха-ха-ха! Ты куда идёшь?

— А, здравствуй, дружище! — радостно отвечал Кубик. — Я гуляю со своими друзьями. Нам надо на улицу Творчества. Познакомься, пожалуйста: вот это Кнопочка, это Незнайка, а это Пёстренький.

— Очень приятно познакомиться! — закричал коротышка и громко расхохотался.

Было заметно, что ему на самом деле было приятно познакомиться с путешественниками. Он быстро подскочил к Кнопочке и с такой силой пожал ей руку, что у бедняжки чуть не выступили на глазах слёзы. Подскочив с той же стремительностью к Незнайке и Пёстренькому, он поздоровался с ними и сказал:

— А меня зовут Клёпка. Инженер Клёпка.

Пёстренький фыркнул, услыхав это чудно́е имя.

– Что это за имя такое – Клёпка? – удивился он. – Вы, наверно, хотели сказать: Заклёпка?

– Ха-ха-ха! – громко захохотал Клёпка и по-приятельски хлопнул Пёстренького рукой по плечу.

– А тебе, Пёстренький, следовало бы думать, прежде чем говорить, – сказала Кнопочка. – Ты бы сам, наверно, обиделся, если бы кто-нибудь стал утверждать, что твоё имя не Пёстренький, а Запёстренький.

– Запёстренький! Такого имени не бывает, – ответил Пёстренький.

– Ну и Заклёпки никакой не бывает, – строго сказала Кнопочка.

– Нет, вы ошибаетесь, – продолжая смеяться, возразил Клёпка. – У меня есть знакомый, которого действительно зовут Заклёпкой, но это совершенно другой коротышка, совсем не такой, как я. Имена всякие бывают, уверяю вас, а некоторые из них даже очень смеш-

ные. Ха-ха-ха! Что касается меня, – обратился он к Пёстренькому, – то моё имя на самом деле Клёпка, но, если вам доставит удовольствие, можете называть меня Заклёпкой.

– Ещё чего не хватало! – возмутилась Кнопочка. – Он будет называть вас Клёпкой, как полагается. Нечего его баловать!

– Мои друзья впервые в Солнечном городе, – сказал Кубик. – Они приехали к нам из Цветочного города.

– Ах вот как! – воскликнул Клёпка. – Значит, вы наши гости? Так чего же мы тут стоим? Вам на улицу Творчества надо? Садитесь. Я тоже с вами поеду, а по дороге, если хотите, заедем на одёжную фабрику и осмотрим её. У меня там все мастера знакомые.

Одним прыжком Клёпка очутился в машине и уселся за руль. Его автомобиль был обтекаемой формы и внешним своим видом напоминал несколько сдавленное сверху яйцо, которое стояло на четырёх колёсах и тупым своим концом было направлено вперёд, а острым – назад. В верхней части кузова имелись два овальных отверстия, внутри которых помещались сиденья для водителя и пассажиров. Сверху над сиденьями была расположена круглая крыша вроде зонтика. Впереди колёс торчали какие-то буфера, с виду напоминавшие сапоги.

Простым нажатием кнопки Клёпка открыл все четыре дверцы, имевшиеся в кузове автомобиля, и пригласил наших друзей садиться. Пёстренький не заставил себя долго просить и уселся впереди вместе с водителем, а Кнопочка, Кубик и Незнайка поместились сзади.

Как только посадка была закончена, все четыре дверцы моментально захлопнулись. Клёпка нажал какую-то педаль, мотор взвизгнул, и машина рванулась вперёд с такой силой, что не ожидавший этого Пёстренький чуть не вылетел из неё. Ухватившись за рукоятку, которая имелась на переднем щитке, он со страхом смотрел прямо перед собой. Машина мчалась с головокружительной скоростью, обгоняя все автомобили, которые ехали впереди, а через некоторые даже перепрыгивала, что достигалось при помощи специального прыгающего приспособления.

Это прыгающее приспособление имело очень простое устройство. К оси каждого из четырёх колёс было приделано по пружинистому железному сапогу. В выключенном состоянии эти пружинистые сапоги свободно торчали вперёд каблуками на манер буферов, что способствовало амортизации, то есть смягчению удара в случае столкновения. Однако как только прыгающее приспособление включалось, все четыре пружинистых сапога совершали вокруг оси оборот вместе с колёсами. При этом сапоги упирались каблуками в землю и, продолжая вращаться, отталкивались от неё, в результате чего машину подбрасывало кверху, и она перелетала через любое препятствие, встреченное на пути. Красные светофоры на перекрёстках также не являлись для машины помехой, так как она свободно перепрыгивала через поперечные улицы, пролетая над головами пешеходов и потоками автомобильного транспорта.

Подивившись на диковинные прыжки машины, Пёстренький хотел было высказать своё удивление, но вовремя спохватился, так как вспомнил о своём правиле. Поскольку он всё-таки успел уже открыть рот, то спросил:

– А скажи, пожалуйста, Клёпка, почему ты носишь коротенькие штанишки? Разве у тебя длинных нету?

– В коротких прохладнее, – отвечал Клёпка.

– Зачем же ты надел шапку с наушниками? В ней ведь жарко.

– Вот и видно, что ты в автомобильной езде ничего не смыслишь. Это вовсе не шапка с наушниками, а шлем. Снаружи у этого шлема защитный стальной каркас, а внутри вата. Если случится авария и я хлопнусь о мостовую в шлеме, то голове ничего не будет, а если я хлопнусь без шлема, то... ха-ха-ха!

От смеха Клёпка даже не смог говорить дальше.

– А у тебя нет случайно ещё одного шлема? – озабоченно спросил Пёстренький.

– Нет, ещё одного шлема у меня нет.

Пёстренький боязливо поёжился и оглянулся назад. Он уже жалел, что сел впереди. Ему стало казаться, что в случае столкновения безопаснее было бы сидеть сзади.

В это время автомобиль подъехал к реке, но, вместо того чтоб ехать по набережной, перемахнул через ограду и плюхнулся прямо в воду. Взвизгнув от страха, Пёстренький отворил дверцу и уже хотел выпрыгнуть из машины, но Клёпка успел схватить его за шиворот.

– Пустите! Тонем! – завопил Пёстренький, стараясь вырваться.

– Да мы вовсе не тонем, а плывём, – успокаивал его Клёпка. – Автомобили этой конструкции ездят не только посуху, но и плавают по воде.

– Ну, если плавают, то и утонуть могут, – ответил, понемногу приходя в себя, Пёстренький.

– Это, конечно, верно, – ответил со смехом Клёпка. – Но вы не бойтесь. В автомобиле под каждым сиденьем хранятся спасательные круги.

Пёстренький сейчас же поднял сиденье, достал спасательный круг и надел на себя.

– Мы же ещё не тонем, – сказал Незнайка.

– Ничего, – ответил Пёстренький. – Когда начнём тонуть, будет поздно.

– Но это ещё не всё, – сказал Клёпка. – Моя машина приспособлена не только для плавания по воде, но и для полётов по воздуху.

С этими словами он ткнул пальцем имевшуюся на щитке приборов кнопку. Раздалось жужжание. Незнайка и Кнопочка взглянули вверх и увидели, что круглая крыша, которую они приняли вначале за зонтик, превратилась в пропеллер, вращавшийся с бешеной скоростью. В то же время машина плавно взмыла кверху и, сделав крутой вираж, понеслась над водой.

– А па-парашюты у вас тоже под сиденьем хранятся? – спросил, заикаясь от страха, Пёстренький.

– Парашюты у нас нигде не хранятся, потому что никаких парашютов не нужно.

– Это почему же? – озабоченно спросил Пёстренький.

– Потому что, если вы прыгнете с парашютом, он сейчас же запутается в лопастях пропеллера и вас изрубит вместе с парашютом в куски. В случае аварии лучше прыгать вовсе без парашюта.

– Но без парашюта ведь можно о землю удариться, – сказал Пёстренький.

– Зачем о землю? Мы ведь над водой летим, а об воду если и ударитесь, то не больно.

– А, ну тогда ничего, – сказал Пёстренький. – В воду упасть – это ещё не так страшно.

– Конечно, – поддакнул Незнайка. – Ты только не забудь умыться, когда попадёшь в воду. Тебе это не помешает.

Все засмеялись, потому что Пёстренькому на самом деле уже пора было умыться.

Автомобиль взлетел высоко, и весь город был виден как на ладони. Это было очень красивое зрелище. Крыши домов светились на солнышке, как перламутр, и переливались всеми цветами радуги. Они имели чешуйчатое строение.

– А что, у вас крыши делаются из рыбьей чешуи, что ли? – спросил Незнайка.

– Нет, – сказал Клёпка. – То, что вы принимаете за чешую, – это солнечные батареи, то есть фотоэлементы, установленные на крышах домов. В фотоэлементах солнечная энергия преобразуется в электрическую, которая накопляется в специальных аккумуляторах и служит для освещения и отопления помещений, заставляет работать лифты и эскалаторы, вращает моторы вентиляторов и прочее. Излишки электроэнергии направляются на фабрики и заводы, а также на центральную электростанцию, где они преобразуются в радиомагнитную энергию, которую можно передавать куда угодно без проводов.

– А почему солнечные батареи устанавливают на крышах? – спросил Незнайка.

– Лучше места и не найти, – сказал Клёпка. – Во-первых, крыши всегда пустые, там никто не ходит, и место всё равно пропадает даром, а во-вторых, крыши всегда на солнышке, на них попадает самое большое количество солнечных лучей.

Покружив над рекой, Клёпка решил опуститься вниз. Машина круто спикировала и шлёпнулась в воду, подняв вокруг себя целый

сноп брызг. Описав на воде несколько кругов и зигзагов, чтоб показать манёвренность машины, Клёпка повернул к берегу. Незнайка, Кнопочка и Пёстренький не знали, радоваться им этому или печалиться, потому что никак не могли решить, что безопаснее: ездить на Клёпкиной машине по земле, плавать по воде или летать по воздуху.

ГЛАВА ДВАДЦАТЬ ПЕРВАЯ

Незнайка и его спутники совершают экскурсию на одёжную фабрику

Выскочив на твёрдую почву, автомобиль снова помчался по улицам и через несколько минут остановился возле круглого десятиэтажного здания, покрашенного очень красивой краской телесного цвета.

– За мной! – закричал Клёпка. – Приехали!

Он молниеносно выскочил из машины и, словно на приступ, бросился ко входу. Пока Кубик, Незнайка и Кнопочка вылезали из машины и помогали Пёстренькому освободиться от спасательного круга, Клёпка несколько раз успел вскочить в дверь и выскочить из неё обратно.

– Что же вы там застряли? – кричал он, размахивая руками, словно ветряк крыльями. – За мной!

Наконец наши путешественники вышли из машины и направились ко входу.

– Смелей! – командовал Клёпка. – Со мной вы можете ничего не бояться. У меня тут все мастера знакомые.

Друзья вошли в дверь и очутились в большом круглом зале с блестящим белым кафельным полом и такими же белыми стенами и потолком. Со всех сторон доносилось приглушённое жужжание механизмов и мягкое шуршание изготовляемых тканей. В ту же минуту к путешественникам подошёл коротышка в чистеньком, хорошо выглаженном синем комбинезоне с большими белыми пуговицами на груди и на животе и открытым воротом, из-под которого виднелся беленький галстук. Коротышка был толстенький и плотненький, но плечи у него были узкие, поэтому он к середине как бы расширялся, а кверху и книзу суживался, напоминая своей фигурой рыбу или веретено.

– Здравствуй, Карасик, – сказал Клёпка этому веретенообразному коротышке. – Я привёл к тебе экскурсию. Покажи, братец, как вы тут шьёте для нас одежду.

Вместо ответа Карасик вдруг принял театральную позу и продекламировал, потрясая кулаками:

– Прошу пожаловать за мной! Я вам, друзья, открою все тайны здешних мест!

Потом властно протянул вперёд руку, скорчил страшную физиономию и завыл страшным голосом:

– Вперёд, друзья, без страха и сомне-е-нья!

Пёстренький вздрогнул, услышав этот душераздирающий крик, и спрятался за спину Кубика.

– Что это – сумасшедший? – спросил он в страхе.

Но Карасик был вовсе не сумасшедший. Дело в том, что он не только работал мастером на одёжной фабрике, но был, кроме того, актёром в театре. Задумавшись в одиночестве над какой-нибудь ролью, он не сразу приходил в себя, когда его о чём-нибудь спрашивали, и часто отвечал собеседнику на актёрский лад, воображая себя на сцене театра.

Увидев, какое впечатление произвели его актёрские способности на Пёстренького, Карасик самодовольно улыбнулся и повёл путешественников к центру зала, где стоял высокий, заострённый сверху металлический цилиндр. Он был сделан из воронёной стали и отблёскивал синевой. Вокруг него вилась спиральная лесенка, оканчивающаяся вверху площадкой. К цилиндру со всех сторон были подведены провода и металлические трубки с манометрами, термометрами, вольтметрами и другими измерительными приборами.

Остановившись возле цилиндра, Карасик заговорил, но уже не театральным, а своим обычным голосом, пересыпая речь такими ничего не значащими выражениями, как «так сказать», «если можно так выразиться» и «извините за выражение».

– Перед вами, друзья мои, если можно так выразиться, большой текстильный котёл системы инженера Цилиндрика, – начал Карасик. – Внутренность котла заполняется, так сказать, сырьём, в качестве какового служат измельчённые стебли одуванчиков. Здесь сырьё, если

можно так выразиться, подвергается действию высокой температуры и вступает в химическую реакцию с различными веществами, благодаря чему получается, извините за выражение, жидкая, студенистая, клееобразная масса, обладающая свойством моментально застывать при соприкосновении с воздухом. Эта масса поступает из котла по трубкам и выдавливается, извините за выражение, при помощи компрессоров сквозь микроскопические отверстия, имеющиеся на концах трубок. Выходя из микроскопических отверстий, масса, так сказать, застывает и превращается в тысячи тонких нитей, которые поступают в ткацкие станки, расположенные вокруг котла. Как вы можете проследить сами, нити превращаются в ткацком станке в материю, которая выходит из станка непрерывной, если можно так выразиться, полосой, после чего попадает под штамп. Здесь материя, как вы видите, раскраивается на куски, которые склеиваются между собой особым составом и превращаются в готовые, так сказать, рубашки. На остальных штампах, которые вы видите вокруг, также изготовляется нижнее, извините за выражение, бельё разных размеров.

Осмотрев весь производственный процесс – от изготовления нити до упаковки готовых рубашек в коробки, наши путешественники поднялись на второй этаж и увидели, что здесь точно таким же образом изготовлялись различные куртки, пиджаки, пальто и жакеты. Разница была лишь в том, что здесь нити, прежде чем попасть в ткацкий станок, проходили процесс окраски, то есть непрерывно протягивались через сосуды с окрашивающими растворами. Карасик объяснил, что хотя нити и делались из одного и того же сырья, но материи получались разные. Это зависело как от метода химической обработки нити, так и от устройства ткацких станков, которые могли изготовлять не только тканые материи, но и трикотажные, то есть вязаные, кручёные и плетёные, а также валяльно-войлочные, вроде фетровых и велюровых, и комбинированные, какими являются, например, вязально-тканые или валяльно-плетёные.

Поднявшись ещё этажом выше, путешественники увидели, что там изготовлялись брюки разных фасонов и размеров. Четвёртый, пятый и шестой этажи были заняты производством различных платьев, юбок, блузок, кофточек. Здесь поступающие из ткацких станков ткани протискивались между так называемыми печатными валиками, благодаря чему на них появлялись разные клеточки, крапинки, полосочки, цветочки и вообще всевозможные рисунки. На седьмом этаже изготовлялись гетры, чулки, носки, галстуки, бантики, ленточки, шнурки, пояса и тому подобная мелочь и носовые платки, на восьмом – всевозможные головные уборы, а на девятом – обувь. Здесь были в ходу валяльные, фетровые, а также толстонитяные, многослойные и прессованные ткани, из которых в Солнечном городе любили делать ботинки.

На всех девяти этажах наши путешественники не встретили ни одного коротышки, кроме Карасика, так как все процессы, вплоть до упаковки готовой продукции, выполнялись машинами. Зато на десятом этаже всё оказалось наоборот, то есть машин совсем не было, а малышей и малышек было множество. Одни из них стояли за мольбертами и что-то рисовали, другие сидели за столами и что-то чертили, третьи что-то шили из разных материй. Вокруг во множестве стояли манекены, то есть большие, в настоящий коротышечий рост, куклы, на которых производили примерку готовых платьев.

– А здесь у нас, извините за выражение, художественный отдел, – сказал Карасик, появляясь со своими спутниками на десятом этаже.

К нему сейчас же подскочила малышка в изящном сером халатике и сердито заговорила:

– Что это значит – «извините за выражение»? За что тут тебе понадобилось извиняться? Художественный отдел – это художественный отдел, и извиняться тут не за что.

– Ну, художественный отдел ведь происходит, так сказать, от слова «худо», – ответил Карасик.

– И совсем не от слова «худо», а от слова «художник»!

– Ну извини, Иголочка, я не знал. Вот я к тебе экскурсантов привёл.

– Привёл – и прекрасно! – сказала Иголочка. – Можешь теперь отойти в сторону и не мешать, я сама объясню всё... Так

вот, — обратилась она к экскурсантам. — Что является нашим бичом?.. Нашим бичом является не что иное, как мода. Вы уже сами, наверно, заметили, что никто не хочет ходить всё время в одном и том же платье, а норовит каждый раз надевать на себя что-нибудь новое, оригинальное. Платья носят то длинные, то короткие, то узкие, то широкие, то со складками, то с оборочками, то в клеточку, то в полосочку, то с горошинами, то с зигзагами, то с ягодками, то с цветочками... Словом, чего только не выдумают! Даже на цвет бывает мода. То все ходят в зелёном, то вдруг сразу почему-то в коричневом. Не успеете вы надеть новый костюм, как вам говорят, что он уже вышел из моды, и вам приходится сломя голову бежать за новым...

Это утверждение очень насмешило инженера Клёпку, и он громко фыркнул.

— Я попросила бы вас не фыркать, когда я объясняю, — строго сказала Иголочка. — Вы не лошадь и находитесь не в конюшне. Вот когда пойдёте в конюшню, тогда и фыркать будете.

Замечание насчёт конюшни насмешило, в свою очередь, Пёстренького, и он еле удержался от смеха. Иголочка строго взглянула на него и сказала:

— Так вот... Прошу всех подойти ближе. Здесь перед вами художники, которые создают рисунки для новых тканей и новые фасоны одежды. Прошу всех познакомиться с художницей Ниточкой... Встань, пожалуйста, Ниточка, чтоб тебя всем было видно.

Ниточка встала со стула. Это была маленькая малышка в белом халатике, с бледным лицом и светлыми, как лён, волосами. Она стояла, скромно потупив глазки, отчего её длинные ресницы казались ещё длинней. От смущения она не знала, что делать, и застенчиво теребила в руках кисточку для рисования.

— Ниточка — самая лучшая наша художница, — продолжала Иголочка. — Сейчас она работает над созданием рисунка для новой ткани, которая называется «Утро в сосновом лесу». Вот

смотрите: здесь кругом лес, а здесь медведица с медвежатками. Очень забавно, не правда ли?

А недавно Ниточка создала образец ткани под названием «Божья коровка». Представьте себе зелёненькую матерьицу, усыпанную оранжевыми божьими коровками с чёрными крапинками. Это же прелесть! Платья из этой ткани шли нарасхват. Никто не хотел носить ничего другого. Но прошло несколько дней, и какой-то умник сказал, что он боится выходить на улицу погулять, так как ему всё время мерещится, будто по всем прохожим божьи коровки ползают. После этого никто уже не хотел носить эти платья. Все говорили: «Не хотим, чтоб по нас коровки ползали». В другой раз Ниточка придумала ещё более интересную материю, под названием «Четыре времени года». Это было что-то сказочное – целая картина, а не материя! Её печатали в восемь красок, для чего изготовили восемь новых печатных валиков. Весь город нарядился в эти платья с картинками. Вдруг

одна модница говорит: «Мне это платье не нравится, потому что все смотрят не на меня, а на картинки на моём платье». И что бы вы думали? На другой день платье вышло из моды, и пришлось нам в спешном порядке другую материю придумывать.

Клёпка опять рассмеялся, но, спохватившись, принялся закрывать рот руками, отчего вместо смеха у него получалось какое-то хрюканье.

– Я попросила бы вас также не хрюкать! – с укоризной сказала Иголочка. – У нас хрюкать не принято, а если вам уж так хочется, то можете пойти дома похрюкать, а потом приходите обратно. Гм!.. На чём мы остановились? Ах, да! На моде. Так вот, как видите, мы вовсе не подчиняемся моде. Наоборот, мода подчиняется нам, так как мы сами создаём новые модные образцы одежды. А поскольку мы сами создаём моду, то она ничего не может с нами поделать, и дела наши идут успешно. Нас только изредка, как это принято говорить, лихорадит.

Клёпка, которого не переставал разбирать смех, снова закрылся рукой и хрюкнул. Глядя на него, захрюкал и Пёстренький.

– Ну вот! – развела руками Иголочка. – Дурные примеры, как говорят, заразительны. Сначала один хрюкал, а теперь и второй хрюкает! Кончится тем, что мы все здесь с вами захрюкаем и пойдём домой... Да! Так вот... Опять вы меня перебили! На чём мы остановились?

– На том, что мы захрюкаем и пойдём домой, – ответил Незнайка.

– Нет, на том, что нас лихорадит, – подсказала Ниточка.

– Да, правильно! Нас лихорадит. Это случается, когда к нам приезжает какой-нибудь путешественник из другого города. Увидев на нём не совсем обычный костюм или какую-нибудь необычную шляпу, наши жители начинают воображать, что появилась новая мода, и бросаются за этими костюмами или шляпами в магазины. Но поскольку в магазинах ничего этого нет, то нам приходится в спешном порядке готовить новую продукцию, а это вовсе не просто, так как необходимо сделать новые образцы материи, новые выкройки, новые штампы и печатные валики. Публика ждать не любит, и нам приходится делать всё это в спешке. Вот поэтому мы и говорим, что нас лихорадит. Как с этой лихорадкой бороться?.. Очень просто. Мы держим связь с магазинами. Из магазинов нам сообщают о каждом новом требовании коротышек. Вчера, например, нам сообщили, что уже несколько коротышек приходили за жёлтыми брюками. Отсюда мы делаем вывод, что к нам в город приехал кто-то в жёлтых брюках... Вот скажите, вы к нам давно прибыли? – спросила Иголочка Незнайку.

— Позавчера, — ответил Незнайка.

— Видите! — обрадовалась Иголочка. — Вы только позавчера приехали, а у нас уже вчера было известно, что в городе появился некто в жёлтых брюках. Но этого мало. Мы уже сами готовимся к выпуску жёлтых брюк. Прошу вас подойти ближе и познакомиться с художницей Пуговкой. Пуговка создаёт проект жёлтых брюк, поскольку жёлтых брюк у нас до сих пор не делали.

Незнайка и его спутники подошли к Пуговке и увидели, что она рисовала на большом куске бумаги жёлтые брюки в натуральную величину. Тем временем Иголочка внимательно осмотрела со всех сторон Незнайку и даже украдкой пощупала материю на его брюках.

— Это хорошо, что вы к нам зашли, — сказала она Незнайке. — А то мы могли бы сделать совсем не такие брюки, какие требуются. Подобные случаи уже с нами бывали... Ты, Пуговка, обрати внимание и сделай поправки в своём проекте. Брюки не должны быть ни узкие, ни широкие, ни длинные, ни короткие, а такие: чуть-чуть пониже колена, чуть-чуть повыше щиколотки. Это самый лучший фасон, так как в нём очень удобно ходить. Материя шелковистая, глянцевитая. Это так же выгодно, потому что глянцевитая материя меньше пачкается. Цвет не лимонный, как ты нарисовала, а канареечный. Такой цвет гораздо приятней для глаз. И потом, не нужно внизу никаких пуговиц. Малыши не любят, чтоб у них на штанах внизу были пуговицы, так как эти пуговицы постоянно за что-нибудь цепляются и в конце концов всё равно оторвутся.

Встреча с Незнайкой очень благотворно подействовала на Иголочку. Она даже перестала бросать гневные взгляды на Клёпку, который донимал её своим смехом. Усадив гостей на диванчике, она стала очень приветливо разговаривать с ними. Узнав, что наши путешественники прибыли из Цветочного города, она подробно расспросила Кнопочку, как одеваются в Цветочном городе малыши и малышки и какие там бывают моды.

228

Остальные художницы тоже приняли участие в беседе. Одна художница, по имени Шпилечка, спросила Пёстренького, что ему больше всего понравилось в Солнечном городе.

– Газировка, то есть газированная вода с сиропом, – ответил Пёстренький. – Главное, что газированную воду можно пить в любом киоске и притом в неограниченном количестве.

– Нашёл чему удивляться! – вмешался в разговор Клёпка. – У нас всё так. Вы можете зайти в любую столовую и есть что хотите. В любом магазине вам дадут любую вещь и ничего не возьмут за неё с вас.

– А если кто-нибудь захочет автомобиль? – спросил Незнайка. – Автомобиль-то небось не дадут!

– Почему не дадут? Дадут! С тех пор как появились кнопочные такси, никто и брать не хочет этих автомобилей, – сказал Кубик. – Скажите, пожалуйста, зачем мне автомобиль, если я на кнопочном такси доеду куда угодно без всяких хлопот! Ведь с собственной машиной очень много возни. Её нужно мыть, чистить, смазывать, чинить, заправлять горючим. Для неё нужен гараж. Когда вы едете на своей собственной машине, вам нужно управлять ею, следить, как бы на что-нибудь не наскочить, на

кого-нибудь не наехать, то есть всё время работать и быть в напряжении. Когда же вы едете на кнопочном такси или автобусе, то вам и горя мало! Вы можете спокойно читать газету или книжку, можете думать о чём хотите, можете вовсе ни о чём не думать и даже спать или стихи сочинять. Когда-то у меня была своя собственная машина, но только с тех пор, как я её выбросил, я почувствовал себя по-настоящему свободным коротышкой.

– Но ведь многие коротышки у вас имеют свои машины, – сказал Незнайка. – У Клёпки, например, тоже свой собственный автомобиль.

– Я – дело другое, – ответил Клёпка. – Я старый автомобилист, и езда на этих новых автомобилях, которые сами везут вас куда надо и с которыми ничего не может случиться, – такая езда не по мне. Для меня наслаждение сидеть за рулём и самому управлять машиной. Я люблю, чтоб езда была сопряжена с опасностями, так как привык ко всему этому с давних пор и мне трудно расстаться со своей привычкой. Я понимаю, что это во мне старая закваска сидит, пережитки, так сказать, прошлого, но пока ничего не могу с собой поделать.

Пёстренький, которого с самого утра донимал голод, наконец не вытерпел и сказал:

– Братцы, а нет ли у вас тут чего-нибудь покушать или хотя бы газированной водички с сиропом? Я с утра ведь ещё ничего не ел.

– Ах мы ослы! – закричал, спохватившись, Клёпка. – Что же мы тут сидим и разговорами занимаемся! Пойдёмте скорее в столовую. Ведь соловья, как говорится, баснями не кормят.

Эта пословица очень понравилась Пёстренькому, и с тех пор он всегда, когда хотел есть, говорил: «Соловья баснями не кормят».

ГЛАВА ДВАДЦАТЬ ВТОРАЯ

Приключения милиционера Свистулькина

Читатели, наверно, помнят, что, после того как в милиции случился обвал, милиционер Свистулькин сначала побежал за Незнайкой, но, почувствовав, что голова у него очень болит, прекратил погоню и пошёл домой. Почему он решил пойти именно домой, а не в милицию, где его ждал милиционер Караулькин, это пока ещё в точности не установлено. Неизвестно также, почему он не пошёл в больницу к врачу. Возможно, это объясняется тем, что его голова, ушибленная кирпичом, уже не могла так хорошо соображать, как было надо.

Одним словом, милиционер Свистулькин направил, как говорится, свои стопы к дому. А жил он неподалёку, на Макаронной улице, и поэтому ему ни к чему было ехать на автомобиле или автобусе. Добравшись до Макаронной улицы и пройдя по ней два квартала, он очутился возле своего дома. Всё было бы вполне благополучно, если бы с ним не случилось тут ещё одно непредвиденное происшествие.

Дом, в котором жил Свистулькин, был не простой, а вращающийся, башенного типа, то есть из тех домов, которые построил архитектор Вертибутылкин. В доме этом со всех четырёх сторон имелось четыре подъезда. Если бы дом стоял неподвижно, то можно было бы сказать, что эти подъезды были обращены на все четыре стороны света, то есть на север, юг, восток и запад. Но так как дом непрерывно вращался, то невозможно было определить, в какую сторону был обращён тот или иной подъезд.

Милиционер Свистулькин обычно возвращался с работы в один и тот же час. Как раз в это время его подъезд всегда был повёрнут к Макаронной улице. Однако на этот раз Свистулькин пришёл на целый час раньше, когда к Макаронной улице был обращён другой подъезд. Не отдавая себе отчёта в том, что он делает, Свистулькин вошёл в чужой подъезд, поднялся, как обычно, на лифте на четвёртый этаж и вошёл в чужую квартиру. В квартире хозяев не оказалось, поэтому никто не указал Свистулькину на его ошибку. Правда, Свистулькин был несколько удивлён тем, что мебель в квартире была не совсем такая, как раньше, но поскольку у него очень болела голова, то он не стал над этим раздумывать, а поскорее разделся, лёг в постель и заснул как убитый.

Неизвестно, то ли от удара по голове кирпичом, то ли по какой другой причине, но на Свистулькина напала страшная сонливость, и он проспал весь день, всю ночь и почти всё следующее утро. Точнее говоря, он заснул в десять часов утра, а проснулся на следующий день в одиннадцать, проспав, таким образом, двадцать пять часов подряд, то есть целые сутки и ещё час в придачу.

Если бы Свистулькин заснул в своей квартире, где его могли сразу найти, то ничего особенного не случилось бы, но он спал в чужом помещении, где никто не думал его искать, и из-за этого произошёл большой переполох.

Когда в милиции случился обвал, милиционер Караулькин услыхал шум и, прекратив наблюдение за телевизионными экранами, бросился в соседнюю комнату. Увидев происшедшую катастрофу, он немедленно побежал на улицу и, созвав прохожих, принялся с их помощью растаскивать обломки обвалившихся стен и потолка. Все работали не жалея сил, но это не принесло никаких результатов, поскольку ни задержанного Незнайки, ни Свистулькина под обломками обнаружено не было, а была обнаружена только каска Свистулькина.

Это несколько успокоило милиционера Караулькина, и он решил, что Незнайка успел убежать, а милиционер Свистулькин бросился за ним в погоню. Время, однако, шло, а Свистулькин не возвращался. Караулькин внимательно смотрел на все свои телевизионные экраны, надеясь увидеть на какой-нибудь из улиц Свистулькина, но, как известно читателю, Свистулькин в это время уже спал безмятежно в чужой постели и ни на каком экране не мог быть виден.

Скоро в отделение милиции явились для несения службы два новых милиционера – Каскин и Палочкин. Милиционер Караулькин сдал им дежурство и, рассказав о случившемся происшествии, занялся розысками Свистулькина. Полагая, что Свистулькин мог пойти домой, он первым делом позвонил ему по телефону, но так как к телефону никто не подошёл, то Караулькин сам отправился к нему на дом. Как и следовало ожидать, дома он никого не обнаружил и, вернувшись к себе домой, принялся звонить во все больницы. Из всех больниц ему отвечали, что милиционер Свистулькин к ним на излечение не поступал. Тогда он принялся звонить во все другие отделения милиции города с просьбой помочь ему отыскать Свистулькина. Все отделения милиции горячо откликнулись на этот призыв, и скоро целая сотня милиционеров рыскала по всему городу, стараясь отыскать Свистулькина. Милиционер Караулькин через каждые полчаса наведывался к нему домой. Весь остаток дня и всю ночь он звонил в больницы и надоел всем докторам хуже горькой редьки.

Несмотря на непрерывные поиски, милиционер Свистулькин нигде обнаружен не был, и наутро во всех газетах было напечатано сообщение об этом новом таинственном исчезновении. Если бы милиционер Свистулькин, проснувшись утром, почитал газеты, то сам был бы несказанно удивлён тем шумом, который поднялся вокруг его имени. Однако Свистулькин никаких газет в этот день не читал, а следовательно, не мог знать, что в них печаталось. Проснувшись на следующий день, он взглянул на часы и увидел, что стрелка показывала одиннадцать часов. Вспомнив, что часы показывали десять, когда он лёг в постель, Свистулькин решил, что проспал всего лишь час, а не все двадцать пять. Таким образом, он даже не заметил, что уже наступил другой день. Голова у него всё ещё

побаливала, и вдобавок ему зверски хотелось есть, что, конечно, было неудивительно, поскольку он целые сутки проспал и за это время совсем ничего не ел.

Отправившись на кухню, которая имела точно такое же устройство, как и в его квартире, милиционер Свистулькин подошёл к небольшой дверце в стене и начал нажимать имевшиеся по бокам кнопки, возле которых были сделаны надписи: «Суп», «Каша», «Кисель», «Компот», «Хлеб», «Пироги», «Вермишель», «Чай», «Кофе» и разные другие. Открыв после этого дверцу, за которой не обнаружилось ничего, кроме четырёхугольного отверстия, милиционер Свистулькин сел на стул и стал ждать. Минуты через две или три сквозь имевшуюся внизу дыру поднялась небольшая кабина так называемого кухонного лифта. Эта кабина была выкрашена белой эмалевой краской и своим внешним видом напоминала холодильник. Открыв дверцы кабины, Свистулькин принялся вынимать из неё тарелки с супом, кашей, киселём, сковородку с пудингом, кофейник, сахарницу, тарелку с пирогами и нарезанным хлебом и прочее. Поставив всё это перед собой на столе, он принялся с аппетитом завтракать.

Подобные кухонные лифты имелись во многих домах Солнечного города. Они доставляли завтраки, обеды и ужины прямо в квартиры жильцов из имевшихся внизу столовых. Нужно сказать, однако, что жители Солнечного города редко пользовались возможностью принимать пищу дома, так как они больше любили питаться в столовых, где было значительно веселей. Там еду подавали обыкновенные малыши и малышки, с которыми можно было поговорить, пошутить, посмеяться. Здесь же еда подавалась при помощи лифта, с которым шутить, как известно, не станешь. Всё же, в случае надобности, каждый мог пообедать дома, хотя и без таких приятностей и удобств, как в столовой.

Основательно подзакусив, милиционер Свистулькин снова забрался в постель и решил поспать ещё чуточку. Он ведь считал, что до обеда проспал всего час, а это совсем немного. Как бы там ни было, но он снова заснул и, возможно, проспал бы до следующего утра, если бы в полночь его не разбудили вернувшиеся хозяева квартиры.

В этой квартире, как выяснилось впоследствии, жили два друга – Шутило и Коржик. Шутило прославился тем, что очень любил шутить. Самая любимая его шутка заключалась в том, что он чуть ли не после каждого слова прибавлял: «Не будь я Шутило, честное

слово». Что касается Коржика, то он ничем не прославился. Они оба работали шофёрами на конфетной фабрике – развозили конфеты по магазинам – и очень между собой дружили. В тот день, когда милиционер Свистулькин по ошибке попал в их квартиру, Шутило и Коржик не ночевали дома, так как после работы поехали к своему приятелю Клюшкину на новоселье, празднование которого затянулось на всю ночь. Утром они поехали прямо на свою конфетную фабрику, а после обеда отправились на новоселье к другому своему приятелю – Фляжкину. Здесь празднование новоселья тоже было рассчитано до утра, но наши друзья уже провели одну ночь без сна, поэтому Фляжкин сделал для них снисхождение и отпустил домой пораньше, то есть часов в одиннадцать вечера.

Одиннадцать часов вечера – тоже время не раннее, к тому же наши приятели не сразу попали домой, а сначала угодили в отделение милиции, где дежурный милиционер читал Коржику двадцатиминутную нотацию за то, что он нарушил правила уличного движения. Словом, домой они явились, когда была глубокая ночь.

Всё же как тот, так и другой были довольны достигнутыми результатами, и Шутило сказал:

– Вот мы и домой добрались, не будь я Шутило, честное слово! Теперь надо поужинать да поскорей спать.

– Что верно, то верно, – согласился, зевая во весь рот, Коржик. – В гостях сколько ни ешь, а дома подзаправиться не мешает.

Два друга пошли прямо на кухню и принялись нажимать кнопки у дверцы кухонного лифта. Через несколько минут они уже сидели за столом и ужинали. Челюсти у них двигались лениво, как бы по обязанности, глаза сами собой закрывались, но всё же они оба непрерывно о чём-то болтали заплетающимися языками. Наконец Шутило наелся и, не говоря больше ни слова, встал из-за стола и отправился спать. Войдя в комнату, он потушил электричество, после чего разделся и лёг в постель. Вслед за ним пришёл Коржик. Увидев, что

Шутило уже погасил свет, он добрался в темноте до своей кровати, разделся и уже хотел лечь, но, протянув руку, почувствовал, что на постели кто-то лежит. Коржик решил, что это Шутило лёг по ошибке на его кровать, и со смехом сказал:

– Что за шуточки? Ты чего забрался в мою постель?

– Что ты там говоришь, не будь я Шутило, – отозвался со своей кровати Шутило.

– Как – что? – удивился, оборачиваясь, Коржик. – Ты где?

– Здесь я, не будь я Шутило! Где же мне ещё быть?

Услышав, что Шутило отозвался совсем с другой стороны, Коржик снова протянул в темноте руку и ощупал грудь лежавшего на кровати Свистулькина, который спал так крепко, что даже не пошевелился.

– Ты знаешь, а у меня здесь уже кто-то лежит, – сказал Коржик.

– Кто же это? – удивился Шутило.

Коржик ощупал в темноте шею спящего Свистулькина, потом лицо, нос, лоб, волосы…

– Шут его знает! Чья-то голова с волосами… – сказал он, разводя в недоумении руками.

– Вот те раз! – рассмеялся Шутило.

Нужно сказать, что Шутило и Коржик не очень испугались, обнаружив у себя в доме постороннего коротышку. Можно даже сказать, что они вовсе не испугались. Дело в том, что в Солнечном городе уже давно не было никаких случаев воровства или хулиганства. Все коротышки жили между собой очень мирно, и никому не могло прийти в голову забраться в чужую квартиру с какой-нибудь нехорошей целью.

– Честное слово, не будь я Шутило, тут просто вышло какое-то недоразумение! – сказал, не переставая смеяться, Шутило.

– Знаешь, наверно, кто-нибудь из наших приятелей зашёл, когда нас не было. Ждал, ждал, потом ему надоело ждать, он и заснул случайно, – высказал предположение Коржик.

– Правильно! – обрадовался Шутило. – Ну-ка, зажги свет.

Коржик включил электричество. Оба приятеля подошли к кровати и принялись разглядывать Свистулькина, который продолжал как ни в чём не бывало спать.

– Кто же это? Ты его знаешь? – спросил Коржик.

– Первый раз вижу, не будь я Шутило!

– Тьфу! – плюнул с досадой Коржик. – Я тоже впервые вижу. Главное, спит, как у себя дома!

– Это подозрительно, Коржик, честное слово! Не будь я Шутило, если мы с тобой не залезли по ошибке в чужую квартиру. Надо удирать поскорей, пока он не проснулся.

Коржик уже хотел удирать, но, оглядевшись, сказал:

– Нет, мне всё-таки кажется, что это наша квартира. Надо разбудить его и спросить, как он сюда попал.

Шутило принялся трясти за плечо Свистулькина. Наконец Свистулькин проснулся.

– Как вы сюда попали? – спросил он, с недоумением глядя на Шутилу и Коржика, которые стояли перед ним в одном нижнем белье.

– Мы? – растерялся Шутило. – Слышишь, Коржик, это как это... то есть так, не будь я Шутило. Он спрашивает, как мы сюда попали! Нет, это мы вас хотели спросить, как вы сюда попали?

– Я? Как всегда, – пожал плечами Свистулькин.

– «Как всегда»! – воскликнул Шутило. – По-вашему, вы где находитесь?

– У себя дома. Где же ещё?

– Вот так номер, не будь я Шутило! Слушай, Коржик, он говорит, что он у себя дома. А мы с тобой где?

– Да, правда, – вмешался в разговор Коржик. – А вот мы с ним тогда, по-вашему, где, а?

– Ну, и вы у меня дома.

– Вишь ты! А вы в этом уверены?

Свистулькин огляделся по сторонам и от изумления даже привстал на постели.

– Слушайте, – сказал наконец он, – как я сюда попал?

– Ах, чтоб тебя, не будь я Шутило, честное слово! Да ведь мы сами уже полчаса добиваемся от вас, как вы попали сюда, – сказал Шутило.

Убедившись, что вся путаница произошла по его вине, Свистулькин очень смутился и пробормотал:

– Извините, друзья! Прошу прощения! Теперь я вижу, что по ошибке попал в чужую квартиру. То-то я гляжу, что здесь мебель словно бы не такая, как у меня. Да и обои на стенах не те. У меня жёлтые, тьфу! А здесь какие-то синие…

С этими словами Свистулькин вылез из-под одеяла и направился к двери.

– Постойте-ка, – остановил его Коржик. – Вы хоть оденьтесь сначала.

– Ах, да! Извините! – смущённо забормотал Свистулькин и, вернувшись, принялся одеваться.

Он очень спешил, и поэтому у него всё получалось не так, как надо. Галстук он надел наизнанку, чулки перепутал; правая нога у него никак не хотела пролезать в штанину, поэтому он долго скакал по всей комнате на левой ноге, под конец налетел на цветочный горшок с маргаритками и разбил его вдребезги. Кончилось тем, что он напялил на себя по рассеянности куртку Коржика и ушёл в ней.

В ту ночь Шутило и Коржик легли спать совсем поздно, и только на следующее утро Коржик обнаружил пропажу своей куртки. Правда, у него осталась куртка Свистулькина, но беда была в том, что вместе с курткой пропало Коржиково удостоверение на право вождения автомобиля, которое лежало у него в боковом кармане. К несчастью, оба приятеля не спросили ни имени, ни адреса Свистулькина и теперь не знали, где его искать.

Шутило сказал, что беда поправима, так как, когда этот рассеянный коротышка, то есть Свистулькин, обнаружит у себя в кармане чужое удостоверение, он поймёт, что надел не свою куртку, и принесёт удостоверение вместе с курткой обратно. Услышав это, Коржик немножечко успокоился.

Однако в дальнейшем всё пошло вовсе не так, как предполагал Шутило, потому что приключения Свистулькина на этом не кончились. Они, возможно, и кончились бы, если бы в дело не вмешались Калигула, Брыкун и Пегасик. С тех пор как эти три личности были превращены в коротышек, они без толку слонялись по улицам и в конце концов сошлись в одном месте. Эта неожиданная встреча ознаменовалась бурным проявлением радости. Калигула не мог удержаться от смеха, глядя на Брыкуна и Пегасика, а Брыкун и Пегасик громко ржали, глядя на Калигулу. Все трое сразу узнали друг друга. Несмотря на происшедшую в них перемену, что-то от прежнего вида сохранилось в каждом из них, и как раз это обстоятельство очень смешило их.

Насмеявшись досыта, Калигула сказал:

— Вот что, друзья, нам надо отметить нашу встречу чем-нибудь сногсшибательным, чтоб хорошенько запомнилось.

Все трое глубоко задумались и думали до полуночи. Сначала никто ничего дельного придумать не мог, но потом Пегасик сказал:

— По-моему, самое сногсшибательное будет, если мы протянем поперёк тротуара верёвку, чтобы все спотыкались и падали.

— Ты гений! — одобрил Пегасика Калигула.

Раздобыв где-то верёвку, друзья протянули её поперёк тротуара в том месте, где было потемней, и поскорей ушли, опасаясь, как бы кто-нибудь не надавал им по шее за такое мероприятие. Это случилось на Макаронной улице, недалеко от дома, где жили Шутило и Коржик, как раз в тот вечер, когда они застали у себя в квартире заснувшего милиционера Свистулькина.

А теперь слушайте, что было дальше.

Выйдя от Шутилы и Коржика, милиционер Свистулькин зашагал по улице, с недоумением оглядываясь по сторонам и не понимая, где он находится. Спустя некоторое время он разобрал, что идёт по Макаронной улице, но не в направлении к своему дому, а в противоположную сторону. Он уже хотел повернуть обрат-

но, но решил немножечко прогуляться и подышать свежим воздухом. Это решение оказалось для него роковым. Не успел он сделать и десяти шагов, как споткнулся о натянутую поперёк тротуара верёвку и полетел с ног. Падая, он сильно ушибся о тротуар лбом и остался лежать неподвижно.

Никто не знает, сколько пролежал бы потерявший сознание Свистулькин, если бы в это время по Макаронной улице не проезжала на своём автомобиле малышка Маковка. Увидев неподвижно лежавшего посреди тротуара Свистулькина, Маковка остановила машину и, убедившись, что Свистулькин нуждается в немедленной медицинской помощи, поскорее втащила его в машину, что для такой крошки, как она, было довольно трудно, и повезла в больницу.

В больнице Свистулькина моментально раздели и положили на койку. Доктор Компресик тут же прописал ему микстуру и велел положить на голову лёд, после чего лично пожал Маковке руку и поблагодарил её за то, что она привезла больного. Он хотел записать имя Свистулькина в больничный журнал, но Свистулькин всё ещё был без сознания и не мог сообщить своего имени. Маковка тоже не знала, как его зовут. Поэтому Компресик приказал одной из нянечек, чтоб она посмотрела в карманах курточки больного – не найдётся ли там какого-нибудь документа, по которому можно было установить его имя.

Нянечка принялась шарить в карманах куртки и нашла там письмо на имя Коржика и шофёрское удостоверение тоже на имя Коржика.

– Дело ясное: его зовут Коржик. Никто ведь не станет носить у себя в карманах чужих писем и документов, – решил доктор Компресик и записал Свистулькина в больничный журнал под именем Коржика.

Когда на следующий день милиционер Караулькин снова позвонил в больницу и спросил, не поступил ли к ним на излечение милиционер Свистулькин, ему ответили, что никакого милиционера Свистулькина

у них нету и не было, а есть только потерявший на улице сознание шофёр Коржик. Этим и объясняется, что о наличии Свистулькина в больнице никто не догадывался, и милиция продолжала его искать где угодно, только не там, где он находился на самом деле.

В газетах каждый день печатались сообщения о том, что милиционера Свистулькина нигде не могут найти. Некоторые газеты начали подсмеиваться над тем, что сама милиция не может отыскать пропавшего милиционера. В одной газете даже напечатали карикатуру с изображением милиционера, который днём с фонарём сам себя ищет.

Кончилось всё это тем, что по поводу пропавшего милиционера стали печатать разные шуточки и смешные рассказы и дошли даже до того, что написали, будто милиционер Свистулькин совсем не исчезал, а найти его не могут потому, что никакого Свистулькина вовсе на свете не было.

Не нужно, однако, думать, что жители Солнечного города были злые, способные смеяться над чужой бедой коротышки. Нет, они были очень добрые и отзывчивые, но дело объяснялось тем, что среди жителей Солнечного города было много автомобилистов, а известно, что автомобилисты немножко не любят милиционеров за то, что они читают им слишком длинные нотации при каждом нарушении правил езды. Если бы пропал простой коротышка, то никому бы в голову не пришло смеяться, но поскольку пропал милиционер, то это как-то невольно у каждого автомобилиста вызывало улыбку; к тому же многие поверили, что действительно никакого милиционера Свистулькина на свете не было и все эти разговоры – просто смешная выдумка для развлечения газетных читателей.

Когда на следующее утро Свистулькин очнулся в больнице, он с удивлением убедился, что снова находится где-то в чужом помещении. Он уже хотел встать и пойти выяснить, как он сюда попал, но, почувствовав слабость, опустил голову на подушку.

В это время в комнату вошла нянечка.

– С добрым утречком, Коржик! – приветливо сказала она. – Как вы себя чувствуете?

– Где я? – тревожно спросил Свистулькин, не обратив даже внимания на то, что нянечка назвала его Коржиком.

Нянечка объяснила ему, что он случайно упал на улице и ударился лбом, отчего у него получилось сотрясение мозга, а теперь он в больнице и может ни о чём не беспокоиться, потому что его скоро вылечат.

Из этих объяснений Свистулькин почти ничего не понял, так как сознание его после удара было несколько затуманено, однако ласковый голос нянечки его успокоил. Перестав волноваться, Свистулькин с аппетитом позавтракал и проглотил, не поморщившись, целую ложку горькой микстуры.

Доктор Компресик остался очень доволен поведением больного Свистулькина и велел нянечке через каждый час поить его этой микстурой, ставить на лоб холодные компрессы, а в случае появления головной боли сейчас же положить на лоб лёд.

Сам доктор Компресик по нескольку раз в день наведывался к Свистулькину и рассказывал ему разные смешные истории. Он считал, что ничто так не содействует быстрому выздоровлению, как весёлое настроение, а весёлое настроение,  как известно, бывает у больных, когда они улыбаются и смеются. С этой целью доктор Компресик велел развесить по всей больнице смешные картинки, шаржи, карикатуры и приказал всем нянечкам и дежурным врачам читать в свободное время больным разные смешные рассказы и сказочки, а также рассказывать им весёлые побасёнки, шутки, дразнилки, присказки, скороговорки, пустобайки и тому подобные вещи.

ГЛАВА ДВАДЦАТЬ ТРЕТЬЯ
Совесть снова тревожит Незнайку

Инженер Клёпка, с которым познакомились наши путешественники, был необыкновенный коротышка. Основной особенностью его было то, что он всё делал со страшной скоростью. Руки, ноги и язык у него двигались чрезвычайно быстро. Обычно он не ходил, а бегал и почти никогда не оставался в спокойном состоянии. Если бежать было некуда, а разговаривать не с кем, то он поминутно дёргался всем телом или прыгал от нетерпения на месте. Если приходилось ехать на автомобиле, то он мчался на самой большой скорости, причём трогался всегда внезапно, а останавливался неожиданно. Мысли у него в голове мелькали со скоростью света, который, как это каждому уже известно, пробегает триста тысяч километров в секунду. Он не задумываясь принимал разные решения, молниеносно приводил их в исполнение, а если они ему почему-либо переставали нравиться, моментально отменял, не доведя до конца.

Все, кому приходилось встречаться с Клёпкой, попадали под влияние его деятельной натуры и выполняли всё, что ему приходило в голову, забывая о своих собственных планах и намерениях.

Кубик, у которого характер был посмирней, воображал, что сможет поехать с путешественниками на улицу Творчества и показать им дома Арбузика, но Клёпка бесцеремонно сказал, что с этим ещё успеется, и сейчас же после обеда повёз всех осматривать мебельную фабрику, где изготовлялась всевозможная мебель.

Попав на мебельную фабрику, путешественники были очень удивлены тем, что стулья, столы, шкафы, диваны, кровати изготовлялись здесь не из дерева, а из различных пластических масс. Процесс производства был очень прост. Заранее заготовленная пластмасса подавалась в отверстие штамповальной машины. Там она сдавливалась при помощи пресса, в результате чего из машины выскакивал готовый стул, стол или кровать. Для изготовления шкафов, буфетов или диванов требовалась не одна штамповальная машина, а две, три и даже больше. На одной такой машине штамповался сам шкаф, на другой – дверцы к нему и полки, на третьей – ящики, и так далее.

Пластическая масса изготовлялась самых различных цветов и оттенков. Была так называемая древопластмасса. Сделанную из неё мебель невозможно было отличить от деревянной. Была также металлопластмасса, которая полностью заменяла металл. Помимо мебели, из металлопластмассы делали люстры, дверные ручки, рамы для картин, зеркала.

Наконец, была мягкая, как пух, эластпластмасса, которая шла на приготовление тюфяков и матрасов, а также подушек и мягких спинок для диванов и кресел.

Помимо простой, на фабрике изготовлялась и комбинированная мебель, как, например, комбинированный диван-кровать, который мог в одно и то же время служить как диваном, так и кроватью, стол-холодильник, стул-пылесос, кровать-книжный шкаф,

кресло-велосипед и другие. Но больше всего нашим путешественникам понравилась дутая, или так называемая пневматическая, мебель. Шкафы, столы, кресла, диваны делались из резины и надувались воздухом. Эта мебель была очень удобна для перевозки, так как стоило выпустить из неё воздух – и целый комнатный гарнитур помещался в небольшом чемоданчике. Наибольшим изяществом отличались пневматические кресла, диваны и кровати, так как при надувании их воздухом они приобретали выпуклые, обтекаемые, гладкие формы, что очень располагало к сидению и лежанию на них.

После осмотра мебельной фабрики наши путешественники пошли в кино, а потом в театр.

На другой день Клёпка и Кубик заехали за ними пораньше, и все вместе отправились на фабрику телевизоров и радиоприёмников.

Самое главное, что они здесь увидели, было изготовление больших плоских настенных широкоэкранных телевизоров. Нужно сказать, что во всех кинотеатрах Солнечного города были установлены такие настенные телевизоры с широкими экранами, поэтому картины передавались во все кинотеатры прямо из телевизионной студии. Это было очень выгодно, так как не нужно было каждый вечер развозить по всем кинотеатрам сотни киноленты, заставлять работать сотни киномехаников, да к тому же не нужно было и делать все эти ленты.

Достаточно было сделать одну, прокрутить её на передающей телевизионной станции, и картину можно было видеть во всех театрах.

Такие же телевизоры, только меньших размеров, имелись и во многих квартирах, но жители Солнечного города не любили смотреть кинокартины дома. Они были очень общительны, и им нравилось смотреть кино, собравшись вместе. От этого картины казались им почему-то гораздо лучше и интереснее.

На этой фабрике, помимо настенных, изготовлялись и настольные телевизоры, а также радиоприёмники самых различных систем, начиная от больших комнатных радиол и радиотумбочек и кончая микроскопическими, карманными громкопищателями и пуговичными громкошептателями.

После этого Клёпка повёз путешественников на фабрику хозяйственных предметов, где изготовлялись различные пылесосы, стиральные автоматы, механические подметалки, вытиралки и соковыжималки, герметические горшки и пневматические кастрюли. Больше всего здесь понравился путешественникам автоматический саморегулирующийся электрический утюг. Особенностью этого утюга являлось то, что он мог автоматически, без всякой посторонней помощи, гладить бельё. Для этой цели в передней части утюга имелись два электрических глаза, представлявшие собой два небольших телевизорчика, при помощи которых утюг как бы видел, что нужно гладить. Немного пониже глаз у утюга имелся ещё жестяной электрический нос. Если разглаживаемое бельё начинало пригорать, утюг ощущал запах гари этим своим носом, в связи с чем автоматически выключался и давал звонок.

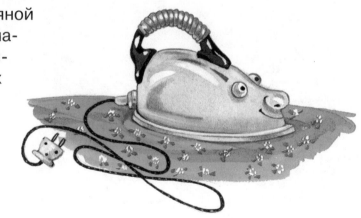

Вслед за этим путешественники побывали на книж-

ной фабрике, где делались самые различные книги: маленькие и большие, тоненькие и толстые, книжки-картинки и книжки-игрушки в виде ширмочек, гармошек, катушек, плетушек с увлекательными сказками, рассказами, приключениями, ребусами, фокусами, загадочными, движущимися и говорящими картинками.

Здесь работали десятки типографских машин. Стоило сунуть в отверстие такой машины принесённую писателем рукопись и сделанные художником рисунки, как сейчас же из другого отверстия начинали сыпаться готовые книжки с картинками. В этих машинах печатание производилось электрическим способом, который заключался в том, что типографская краска распыливалась внутри машины специальным пульверизатором и прилипала к наэлектризованной бумаге в тех местах, где должны были находиться буквы и картинки. Этим и объяснялась быстрота изготовления книг.

В дальнейшем Незнайка и его спутники побывали и на фабрике музыкальных инструментов, и в кукольном комбинате, где изготовлялись куклы для кукольных театров, и на автомобильном заводе, и во многих других местах. Днём они только и делали, что совершали с Клёпкой и Кубиком разные увлекательные экскурсии, а по вечерам ходили в кино, театр, на концерты или смотрели какие-нибудь спортивные игры и состязания. В этих похождениях иногда принимал участие и Карасик, с которым они познакомились на одёжной фабрике. Карасик, как уже упоминалось, был актёром, поэтому он хорошо знал, в каком театре идут самые интересные постановки, и всегда мог посоветовать путешественникам, на какой спектакль лучше всего пойти.

В общем, житьё у них было очень весёлое. Единственное, что портило Незнайке настроение, – это воспоминание о милиционере Свистулькине. В тот день, когда в газете впервые появилось известие об исчезновении милиционера Свистулькина, Незнайка очень боялся, что он вскоре отыщется. Но на другой день газеты сообщили, что, несмотря на непрерывные поиски, милиционер Свистулькин нигде обнаружен не был. Незнайка обрадовался этому и понемножечку успокоился. Однако вечером совесть, по обыкновению, проснулась и начала упрекать его.

«А что я могу сделать? – оправдывался Незнайка. – Я же не виноват, что милиционер пропал».

«Ты не виноват, это правда, – соглашалась совесть. – Но ты ведь радовался, что он пропал. Разве можно чужой беде радоваться?»

«А какое тебе дело до этого? – возмущался Незнайка. – Зачем ты суёшь свой нос, куда тебя не просят?»

«Как это – какое дело? – удивлялась совесть. – Я хочу, чтоб ты был хороший, и всегда буду упрекать тебя, если ты будешь поступать скверно».

Незнайке сделалось стыдно, и он дал сам себе клятву, что больше не будет радоваться. Однако на следующее утро он опять начал беспокоиться и с содроганием взял в руки газету, боясь прочитать в ней извещение, что милиционер Свистулькин наконец нашёлся и рассказал всем, что это Незнайка разрушил волшебной палочкой стены милиции. Прочитав в газете, что Свистулькин по-прежнему обнаружен не был, Незнайка облегчённо вздохнул и чуть не запрыгал от радости, а вечером опять упрекал себя за это, но на следующее утро опять-таки радовался. Постепенно он всё же перестал обращать внимание на упрёки совести, и ничто уже не омрачало его существования. К тому же новые друзья не давали скучать нашим путешественникам. Кубик и Клёпка даже чуть не поссорились из-за них. Кубику очень хотелось продолжить свой рассказ об архитектуре и показать им дома Арбузика, но Клёпка не давал сказать ему ни одного слова и не отпускал от себя путешественников ни на шаг. Кубик очень досадовал, что познакомил Незнайку, Кнопочку и Пёстренького с Клёпкой.

— Если б я знал, что так получится, то не стал бы тебя знакомить с ними, — сказал он Клёпке.

Однажды он придумал заехать за Незнайкой и его друзьями пораньше и увезти их из дому до того, как приедет Клёпка. На следующее утро он на самом деле проснулся чуть свет и сейчас же помчался в гостиницу. Каково же было его удивление, когда он увидел, что путешественники уже уехали!

— Опять этот Клёпка меня опередил! — разозлился Кубик. — Ну, попадись он мне! Прямо не знаю, что с ним сделаю...

Сердито нахмурив лоб, Кубик вышел на улицу и встретился с Клёпкой, который только что приехал на своём прыгающем автомобиле.

— Ты куда это разогнался? — озабоченно спросил его Кубик.

— Как — куда? — удивился Клёпка. — К Незнайке и Кнопочке.

— Да их уже кто-то увёз отсюда!

— Кто увёз? — Клёпка даже подскочил от изумления.

— Откуда я могу знать! — развёл Кубик руками.

— А! — закричал Клёпка и хлопнул себя ладонью по лбу. — Знаю! Это Карасик! Вот не сойти с места, что Карась их куда-нибудь утащил!

Это действительно было так. Карасик давно уговаривал наших путешественников совершить с ним поездку в Солнечный парк, уверяя, что это гораздо интереснее, чем ездить по разным фабрикам и заводам. Однако Клёпка даже слышать ничего не хотел о парке и всячески препятствовал выполнению этого замысла. Кончилось тем, что Карасик пустился на хитрость и, заехав за путешественниками раньше обычного, увёз их в Солнечный парк.

Этот парк находился на восточной окраине Солнечного города и занимал довольно большую площадь. Он состоял из нескольких частей, или, как их иначе называли, городков: Спортивного городка, где проводились разные спортивные игры и состязания; Водяного городка с плавательными бассейнами, вышками для ныряния и лодочными пристанями; Театрального городка, в котором находились разные театры, кино, а также цирк; Шахматного городка, где можно было играть в шашки и шахматы, и, наконец, Весёлого городка – с разными увеселительными аттракционами.

Каждый из этих городков был устроен на свой собственный лад. Наиболее интересное устройство имел Шахматный городок. Вся его площадь была разбита на большие квадратные клетки и представляла собой как бы огромную шахматную доску. Все дома, киоски и павильоны были построены здесь в виде шахматных фигур: башен, ферзей, слонов, коней и прочих. Все ограды вокруг были сделаны в виде пешек, а у каждого входа стояли по два чёрных или белых коня.

Среди цветов, которые также росли здесь в шахматном порядке, стояли столики, за которыми желающие могли играть в шахматы или шашки. Здесь было много шахматистов и шахматисток. Шахматисты были обычно одеты в клетчатые костюмы, а шахматистки – в платьица, украшенные разноцветными шахматными фигурками. Они читали лекции о шахматной игре, рассказывали разные интересные случаи из жизни знаменитых шахматистов, участвовали в шахматных турнирах, на которые стекалось смотреть множество коротышек; наконец, вели сеансы одновременной игры с любителями, то есть с обыкновенными малышами и малышками, которые любили играть в шахматы.

Сеансы одновременной игры заключались в том, что один шахматист играл сразу с несколькими игроками на нескольких досках. Были такие специалисты, которые играли сразу на десяти или пятнадцати досках, а самый лучший шахматист, чемпион Солнечного города Фигура, мог играть сразу на двадцати досках, причём даже не глядя на доски. Ему только говорили, какой сделан ход, он записывал в книжечку и говорил, какой сделать ответный ход. На такие сеансы одновременной игры тоже приходили смотреть многие коротышки.

Однако самое интересное в Шахматном городке – это были шахматные автоматы. Шахматный автомат – это машина, сделанная в виде обыкновенного коротышки с руками, ногами и даже с головой. Внутри автомата имеется запоминающее вычислительное электронное устройство, соединённое электрическими проводами с клетками на шахматной доске. Играя с обыкновенным коротышкой, автомат отыскивает при помощи электронного устройства наиболее верные ответные ходы, ведущие к выигрышу, и передвигает фигуры на шахматной доске. В этом нет ничего удивительного, так как шахматная игра имеет свою теорию, и всегда можно рассчитать заранее, как нужно передвигать фигуры, чтобы выиграть партию.

Конструируют шахматные автоматы самые лучшие шахматисты, поэтому обыграть такую шахматную машину может только какой-нибудь шахматный чемпион, да и то не всегда. Бывали случаи, когда сам конструктор проигрывал сконструированному им автомату. Объясняется это тем, что конструктор может устать, заболеть или сделать по рассеянности не тот ход, какой нужно, а автомат никогда не устаёт и всегда действует быстро и безотказно, если, конечно, не испортится.

В одном из павильонов Шахматного городка был установлен большой шахматный автомат, который мог играть одновременно на тридцати двух досках. Автомат помещался в центре кольцеобразного стола, на котором находились тридцать две шахматные доски. За этими досками сидели желающие сыграть с автоматом. Сделав ход на одной доске, автомат чуточку поворачивался, делал ход на другой доске, опять поворачивался и таким образом вертелся всё время, делая ход за ходом. Это происходило так быстро, что некоторые из играющих не успевали даже сделать ответный ход. В таких случаях автомат останавливался и ждал ответного хода.

Попав в Шахматный городок, наши путешественники долго наблюдали за игрой этого большого шахматного автомата. Наконец Кнопочке надоело смотреть, но Незнайка только разохотился. Увидев, что один из игроков проиграл партию и вылез из-за стола, Незнайка сел на его место и сказал, что тоже хочет сыграть. Кнопочка запротестовала и сказала, что терпеть не может смотреть, как играют в шахматы. Пёстренький сказал, что он тоже не может терпеть этого, но Незнайка заупрямился и не хотел уходить. Тогда Карасик сказал, что они с Кнопочкой и Пёстреньким пойдут погулять в Весёлый городок, а Незнайка может поиграть в шахматы, а потом пусть тоже приходит к ним. На этом они и договорились.

ГЛАВА ДВАДЦАТЬ ЧЕТВЁРТАЯ

Как Незнайка заболел шахматной горячкой

Кнопочка и Пёстренький ушли с Карасиком в Весёлый городок, а Незнайка принялся играть с автоматом в шахматы. Не успел он сделать и десяти ходов, как получил шах и мат. Он решил сыграть ещё партию и проиграл её, сделав всего лишь пять или шесть ходов. Следующий мат он получил в три хода. Автомат как бы подметил, какую ошибку допускал в игре Незнайка, и нашёл способ обыгрывать его в самое короткое время.

Один из игроков, который сидел за столом рядом с Незнайкой, сказал, что ему рано играть с такой сложной машиной, а лучше поиграть сначала с каким-нибудь маленьким автоматом, попроще. Узнав, что в Шахматном городке существуют и другие автоматы, Незнайка вылез из-за стола и пошёл разыскивать машину по своим силам. Не успел он пройти и десяти шагов, как повстречался с малышкой. На ней было красивое белое платье с разноцветными шахматными фигурками, а на голове шляпа в виде короны, как у шахматной королевы. Она улыбнулась Незнайке как старому знакомому и сказала:

– Здравствуйте!

– Здравствуйте, – ответил Незнайка. – Мы с вами, кажется, уже где-то встречались?

– Как вам не стыдно, Незнайка! Неужели забыли? Вы ведь приходили к нам на одёжную фабрику.

– Ах, верно! – воскликнул Незнайка. – Теперь я вспомнил. Вы – Ниточка.

– Правильно, – подтвердила Ниточка. – Давайте посидим на лавочке. Здесь очень красиво.

Они уселись на лавочке, и Ниточка сказала:

– А мы не забыли вас и часто вспоминаем о вашем посещении. Нам тогда было очень весело. Помните, как Иголочка сказала Клёпке:

«Вы не лошадь и находитесь не в конюшне. Хрюкать будете дома».
Ха-ха-ха! Теперь, как только кто-нибудь из нас засмеётся, мы говорим: «Вы не лошадь и находитесь не в конюшне. Пойдите домой, похрюкайте, а потом приходите обратно».

Ниточка и Незнайка весело рассмеялись.

— Скажите, вам понравилось у нас в городе? — спросила Ниточка.

— Очень понравилось, — ответил Незнайка. — У вас тут и машины разные, и кино, и театры, и магазины, и даже столовые. Всё у вас есть!

— А у вас разве не так, как у нас?

— Куда там! — махнул Незнайка рукой. — У нас если захочешь яблочка, так надо сначала на дерево залезть; захочешь клубнички, так её сперва надо вырастить; орешка захочешь — в лес надо идти. У вас просто: иди в столовую и ешь, чего душа пожелает, а у нас поработай сначала, а потом уж ешь.

— Но и мы ведь работаем, — возразила Ниточка. — Одни работают на полях, огородах, другие делают разные вещи на фабриках, а потом каждый берёт в магазине, что ему надо.

— Так ведь вам помогают машины работать, — ответил Незнайка, — а у нас машин нет. И магазинов у нас нет. Вы живёте все сообща, а у нас каждый домишко — сам по себе. Из-за этого получается большая путаница. В нашем доме, например, есть два механика, но ни одного портного. В другом каком-нибудь доме живут только портные, и ни одного механика. Если вам нужны, к примеру сказать, брюки, вы идёте к портному, но портной не даст вам брюк даром, так как если начнёт давать всем брюки даром…

— То сам скоро без брюк останется! — засмеялась Ниточка.

— Хуже! — махнул рукой Незнайка. — Он останется не только без брюк, но и без еды, потому что не может же он шить одежду и добывать еду в одно и то же время!

— Это, конечно, так, — согласилась Ниточка.

— Значит, вы должны дать портному за брюки, скажем, грушу, — продолжал Незнайка. — Но если портному не нужна груша, а нужен, к примеру сказать, стол, то вы должны пойти к столяру, дать ему грушу за то, что он сделает стол, а потом этот стол выменять у портного на брюки. Но столяр тоже может сказать, что ему не нужна

груша, а нужен топор. Придётся вам к кузнецу тащиться. Может случиться и так, что, когда вы придёте к столяру с топором, он скажет, что топор ему уже не нужен, так как он достал его в другом месте. Вот и останетесь вы тогда с топором вместо штанов!

— Да, это действительно большая беда! — засмеялась Ниточка.

— Беда не в этом, потому что из каждого положения найдётся выход, — ответил Незнайка. — В крайнем случае, друзья не дадут вам пропасть, и кто-нибудь подарит вам брюки или одолжит на время. Беда в том, что на этой почве у некоторых коротышек развивается страшная болезнь — жадность или скопидомство. Такой скопидом-коротышка тащит к себе домой всё, что под руку попадётся: что нужно и даже то, что не нужно. У нас есть один такой малыш — Пончик. У него вся комната завалена всевозможной рухлядью. Он воображает, что всё это может понадобиться ему для обмена на нужные вещи. Кроме того, у него есть масса ценных вещей, которые могли бы кому-нибудь пригодиться, а у него только пылятся и портятся. Разных курточек у него, пиджаков — видимо-невидимо! Одних костюмов штук двадцать, а штанов, наверно, пар пятьдесят. Всё это у него свалено на полу в кучу, и он уже даже сам не помнит, что у него там есть и чего нет. Некоторые коротышки пользуются этим. Если кому-нибудь понадобятся спешно брюки или пиджак, то каждый может подойти к этой куче и выбрать, что ему нравится, а Пончик даже не заметит, что вещь пропала. Но если заметит, то тут уж берегись — поднимет такой крик, что хоть из дому беги!

Ниточка очень смеялась, слушая этот рассказ. Потом лицо у неё стало серьёзное, и она сказала:

— Стыдно над больными смеяться! Хорошо, что у нас никто не может заболеть этой страшной болезнью. К чему нам держать у себя целую кучу костюмов, если в любое время можно получить в магазине вполне приличный костюм! К тому же моды постоянно меняются, и, если костюм выйдет из моды, его всё равно не наденешь. Кстати,—

вспомнила Ниточка, – где же ваши друзья – Кнопочка и этот... Серенький, что ли?

– Не Серенький, а Пёстренький, – поправил Незнайка.– Они пошли с Карасиком в Весёлый городок, а я остался тут, чтоб сыграть с автоматом в шахматы.

– Ну и сыграли?

– Сыграл три раза и ни разу не выиграл.

Узнав, что Незнайка играл с большим автоматом, Ниточка рассказала, что этот автомат сконструирован шахматным чемпионом Фигурой, поэтому обыграть его трудно даже для опытных шахматистов. Большим достижением считается сыграть с ним хотя бы вничью, а тот, кто выиграет, получает право играть с чемпионом Фигурой на первенство.

Для таких малоопытных игроков, как Незнайка, в Шахматном городке имелось множество менее совершенных шахматных автоматов. Электронное устройство этих машин было попроще, и обыграть их было гораздо легче. Кроме того, во многих автоматах были сделаны дополнительные приспособления для развлечения игроков. Так, например, у одного из них была очень смешная физиономия. К тому же он умел шмыгать носом и почёсывать рукой собственный затылок, что было очень забавно. У другого физиономия была сделана из гибкой пластмассы, и, когда ему удавалось сделать хороший ход, на лице его появлялась торжествующая улыбка. Как только он начинал выигрывать партию, рот его растягивался до самых ушей, но если вдруг начинал проигрывать, то корчил такие страшные гримасы, что невозможно было глядеть без смеха. Был такой автомат, у которого вспыхивала в носу электрическая лампочка, отчего весь нос светился красным светом, а волосы вставали на голове дыбом.

Кроме того, здесь были автоматы, которые передавали разные характеры игроков. Один из них, перед тем как сделать ход, долго морщил лоб, теребил для чего-то рукой собственный нос, нереши-

тельно брал фигуру с доски, долго держал её в руке, как бы раздумывая, куда поставить, наконец, сделав ход, поспешно хватал фигуру обратно, ставил на прежнее место и снова начинал делать вид, будто думает. Такие выходки автомата сердили некоторых слишком нетерпеливых игроков, и от этого им не так скучно было играть. Другой автомат, перед тем как сделать ход, обязательно хмыкал, гмыкал, покашливал, крутил головой, пожимал плечами, разводил руками; третий пускал в ход разные словечки, вроде: «Ах, вы так пошли? Ну, а мы вот как!» Или: «Сейчас мы вам покажем, как играть в шахматы». Или: «Сейчас вам будет крышка». Это достигалось при помощи магнитофона, то есть звукозаписывающего аппарата с магнитной лентой, на которой записывались разные фразы. Перед каждым ходом магнитофон автоматически включался, и слышалась та или иная фраза.

Каждый из автоматов имел своё имя. Так, например, большой, тридцатидвухместный автомат назывался «Титан». Тот, который говорил «Сейчас вам будет крышка», так и назывался «Крышкой». А тот, который умел чесать затылок, назывался почему-то «Барбосик». Ниточка познакомила Незнайку со всеми автоматами, и Незнайка сыграл с каждым по партии, но выиграть сумел только у одного «Барбосика».

– Вот видите, вы уже делаете успехи! – сказала Ниточка. – Вам надо почаще приходить сюда и тренироваться.

Пока Незнайка играл в шахматы, Кнопочка и Пёстренький веселились в Весёлом городке. Веселье здесь начиналось ещё до того, как гуляющие попадали в городок, то есть у самого входа. Этот вход представлял собой не ворота, не калитку, не дверь, а широкую металлическую трубу, вроде туннеля. Труба непрерывно вращалась, и каждый, кто пытался пройти сквозь неё обычным способом, обязательно падал, так как ноги его заносило в сторону. Для того чтоб удержать равновесие, необходимо было шагать не прямо, а ловко перебирая ногами наискосок. Некоторые коротышки достаточно напрактиковались в этом деле и проходили сквозь трубу, даже не пошатнувшись. Но таких было мало. Большинство посетителей не могли попасть в городок, не извалявшись предварительно в трубе.

Перед этой вертящейся трубой обычно стояла толпа коротышек и смеялась над попытками смельчаков пройти сквозь трубу. Кнопочка, Карасик и Пёстренький присоединились к толпе и тоже стали смеяться. Особенно громко хохотал Пёстренький. Ему казалось, что пройти по трубе совсем не трудно, но все падают из-за собственной неуклюжести. Нахохотавшись досыта, Пёстренький решил показать свою ловкость и бесстрашно вошёл в трубу. Не успел он сделать и трёх шагов, как свалился с ног и принялся перекатываться внутри трубы, словно полено. Конфеты, которые были у него в кармане, высыпались. Пёстренький подбирал их, запихивал обратно в карман и в то же время пытался подняться на ноги, но его тут же валило обратно. Так он кувыркался внутри трубы, пока его наконец не выбросило наружу с другой стороны. Всё это происшествие вызвало у зрителей целую бурю смеха.

— Видите, мы ещё не попали в Весёлый городок, а уже начали веселиться, — сказал Карасик Кнопочке. — Заметьте, что смех здесь вызывается очень простым способом — посетители сами себя смешат: сначала вы смеётесь над другими, а потом сами лезете в трубу, и тогда уж другие смеются над вами.

Сказав это, Карасик пошёл к трубе. Несмотря на свою мешковатую фигуру, он довольно ловко проделал почти весь путь и свалился с ног лишь в двух шагах от выхода из трубы, что, однако, так же раз-

веселило зрителей. Затем наступила очередь Кнопочки. Все думали, что она упадёт тоже, и уже приготовились как следует посмеяться, но Кнопочка так ловко перебирала ногами, что даже не споткнулась ни разу.

Очутившись в Весёлом городке, наши путешественники пошли по аллее и скоро оказались на площадке, посреди которой был устроен большой деревянный круг. Этот круг назывался чёртовым колесом. Желающие садились на него, после чего круг начинал быстро вертеться, и центробежная сила отбрасывала сидящих в стороны.

Повертевшись на чёртовом колесе и скатившись на землю кубарем, наши путешественники отправились дальше и остановились перед волшебным зеркалом. Это зеркало было не плоское, а кривое, причём оно всё время изгибалось, отчего голова у глядевшегося в него коротышки вытягивалась в длину, словно гороховый стручок, а ноги становились короткими, как у гусёнка; потом наоборот: ноги вытягивались, как макароны, а голова становилась плоской, как блин. Вслед за этим начинал вытягиваться нос, а лицо перекашивалось на сторону; наконец лицо вообще становилось ни на что не похоже.

На все эти превращения невозможно было смотреть без смеха, но так как от смеха очень разыгрывается аппетит, то наши путники отправились обедать в столовую, а после обеда катались на роликовых атомных автостульчиках и на шариковых коньках-самоездах.

Атомный автостульчик напоминал собой обыкновенный стульчик или креслице с подставкой для ног, только вместо ножек у него были мягкие резиновые ролики. Внизу, под сиденьем, имелся небольшой атомный двигатель, который приводил стульчик в движение.

Для того чтобы ездить на автостульчике, не нужно было даже учиться управлять им. Достаточно было сесть на него, сказать: «Вперёд!» — и стульчик сам собой ехал вперёд. Стоило сказать: «Быстрей!» или «Медленней!» — и стульчик сейчас же начинал двигаться быстрей или замедлял ход. При словах «направо» или «налево» стульчик поворачивал в ту или другую сторону. Если же сказать: «Стоп!» — стульчик моментально останавливался.

Все эти слова можно было произносить не громко, а шёпотом, и даже совсем не произносить, а думать про себя. Кнопочка и Пёстренький заинтересовались, почему так получается. Карасик рассказал, что имеющаяся внизу подставка улавливает электрические сигналы от ног сидящего на стульчике коротышки и передаёт эти сигналы в специальное электронное устройство, которое пускает в ход двигатель, регулирует скорость, включает механизм правого и левого поворота.

– Какие же могут быть сигналы от моих ног?– спросил с недоумением Пёстренький. – От моих ног не идут никакие сигналы.

– Вы этого просто не замечаете, – ответил Карасик, – потому что сигналы эти очень слабые, но они всё-таки есть. Стоит вам подумать, то есть мысленно произнести слово «вперёд», как сейчас же от вашего мозга по нервам пробежит нервный электрический импульс, как бы давая распоряжение ногам идти вперёд или назад, поворачивать направо или налево или останавливаться на месте. Вот такие электрические импульсы и улавливаются электронным устройством.

Пёстренький принялся кататься на автостульчике и с интересом наблюдал, как стульчик слушается его мыслей. Потом сказал:

– Что ж, по-моему, такой стульчик даже лучше, чем Незнайкина волшебная палочка! Тут стоит только подумать: хочу направо или налево,– и желание сразу исполняется. А там нужно ещё махать палочкой да говорить вслух, чего хочется. Одним словом – возня!

Накатавшись досыта на автостульчиках, Пёстренький, Кнопочка и Карасик принялись кататься на шариковых коньках-самоездах, которые имели приблизительно такое же электронное устройство, как в автостульчиках, то есть улавливали электрические импульсы от ног катающегося коротышки и везли его, куда надо было.

Карасик сказал, что пока эти автостульчики и коньки-самоезды имеются только в парке, но в скором времени на них можно будет ездить по всему городу, а впоследствии, возможно, никто вообще не станет ездить на автомобилях, так как все станут ездить на автостульчиках.

День незаметно прошёл, поэтому Кнопочка, Карасик и Пёстренький вернулись в Шахматный городок, разыскали там Незнайку и Ниточку, после чего все вместе отправились в Театральный городок смотреть спектакль.

С тех пор Кнопочку и Пёстренького ежедневно можно было видеть в Весёлом городке. Незнайка же по целым дням пропадал в Шахматном городке. Здесь он встречался с Ниточкой и вёл с ней беседы на разные темы. Но главное для них было то, что они играли в шахматы. Ниточка была заядлая шахматистка, и ей нравилось, что Незнайка тоже увлёкся игрой в шахматы, или, как принято было говорить в Солнечном городе, заболел шахматной горячкой.

ГЛАВА ДВАДЦАТЬ ПЯТАЯ
Как отыскался Свистулькин

Первое время попавший в больницу Свистулькин удивлялся, когда больничная нянечка или кто-нибудь из врачей называли его Коржиком. Однако он не догадался сразу спросить, почему его называют таким чудным именем. Его умственные способности были несколько притуплены вследствие сотрясения мозга, и голова работала не так хорошо, как раньше. Постепенно его умственные способности восстанавливались, но в то же время он незаметным для себя образом привыкал к новому имени, так что через несколько дней уже и сам воображал, что его зовут Коржиком. Он только иногда вздрагивал, когда его окликали этим именем, и отзывался не сразу, словно ему надо было подумать сначала, его это зовут или не его.

Доктор Компресик замечал эту странность в поведении Свистулькина, но объяснял её болезненным состоянием, которое оказывало на нервную систему возбуждающее и тормозящее действие. Он продолжал лечение своим методом, то есть при помощи смеха, но сначала все его шуточки не оказывали на больного никакого действия. Однако, по мере того как умственные способности Свистулькина восстанавливались, на лице его начала появляться осмысленная улыбка. Это, между прочим, доказывало, что способность понимать смешное зависит у коротышек от их умственного развития.

Заметив, что лицо Свистулькина всё чаще озаряется улыбкой, доктор Компресик решил перейти ко второму этапу лечения, то есть вместо рассказывания смешных историй читать вслух весёлые книги. С этой целью он прочитал ему книгу, которая называлась «Тридцать три весёлых воронёнка» известного писателя Ластика. Слушая эту книгу, Свистулькин громко смеялся. Это подбодрило доктора Компресика. Он решил, что теперь уже можно перейти к самостоятельному чтению, и принёс больному целый ворох газет, в которых в те дни печаталась масса смешных историй об исчезнувшем милиционере Свистулькине.

Однако все эти смешные истории не показались смешными самому милиционеру Свистулькину. Увидев в газете своё имя, он вспомнил, что он и есть этот самый пропавший милиционер Свистулькин, а вовсе не Коржик, как его называли в больнице. Сознание Свистулькина окончательно прояснилось, и он вспомнил обо всём, что случилось: и о том, как Незнайка взмахнул волшебной палочкой и как от этого рухнули стены милиции. Отбросив от себя в сторону все газеты, Свистулькин хотел вскочить с постели, но доктор Компресик сказал:

— Лежите, лежите, Коржик. Куда это вы вдруг собрались?

– Я вовсе не Коржик, а милиционер Свистулькин, – ответил Свистулькин. – Я должен как можно скорей приступить к своим обязанностям и задержать волшебника, чтоб отнять у него волшебную палочку, при помощи которой он разрушает дома и может нанести много вреда жителям.

Доктор Компресик знал, что некоторые больные от происшедшего с ними умственного расстройства начинают воображать, будто их преследуют ведьмы, колдуны или злые волшебники. Поэтому он начал уверять Свистулькина, что никакого волшебника нет и не бывало. Но Свистулькин уверял, что сам видел, как волшебник разрушил стены милиции.

– Какой же он был, этот волшебник? – с улыбкой спросил доктор Компресик.

– Такой же, как и все коротышки, только брюки на нём были жёлтые, а в руках волшебная палочка, – ответил Свистулькин.

– Ну, ясно, что вам всё это показалось, – сказал Компресик. – Где это видано, чтоб коротышки ходили в жёлтых брюках! Такой и моды-то нет!

– Вот и хорошо, что нет моды. По этим жёлтым брюкам его легко будет узнать и отобрать волшебную палочку.

Доктор Компресик покачал с сокрушением головой и приложил руку ко лбу больного, чтоб узнать, нет ли у него жара, после чего сказал:

– У вас, наверно, голова болит?

– Никакая голова у меня не болит! – сердито ответил Свистулькин.

– Это вам только так кажется, что она не болит, а на самом деле болит, – сказал Компресик. – Вот мы положим вам на лоб лёд, и вы сразу почувствуете облегчение.

Доктор Компресик позвал нянечку и сказал:

– Нянечка, лёд на голову Коржику.

– Я ведь вам сказал уже, что я не Коржик, а милиционер Свистулькин!

— Ну хорошо, хорошо,— успокоил его Компресик.— Больные после сотрясения мозга часто начинают воображать себя разными известными личностями. Вот вы начитались в газетах про знаменитого милиционера Свистулькина и сами вообразили, что вы Свистулькин.

— Нет, я на самом деле Свистулькин.

— Вот когда вы увидите своё удостоверение, то сами убедитесь, что вы Коржик, а не Свистулькин. Нянечка, принесите сюда удостоверение Коржика.

Нянечка принесла куртку Коржика и вытащила из кармана шофёрское удостоверение.

276

– Ну-ка, посмотрим, что здесь написано,– сказал Компресик и взял удостоверение в руки. – Вы живёте на Макаронной улице?

– Правильно, – подтвердил Свистулькин.

– В доме номер тридцать семь?

– В доме номер тридцать семь.

– Значит, вы и есть Коржик!

– Не может быть!

– Как же не может быть? Вот смотрите, тут чёрным по белому написано: «Коржик». Видите – «Коржик».

Свистулькин взял в руки удостоверение, прочитал, что там было написано, и с недоумением сказал:

– Смотрите, правда: «Коржик, проживает на Макаронной улице, дом № 37, квартира 66...» Только позвольте, почему квартира 66? У меня ведь квартира 99.

– Ну это у вас в голове, должно быть, от удара что-то перевернулось, – сказал Компресик.– Вы переверните 66 вверх ногами, и получится 99.

Свистулькин перевернул удостоверение вверх ногами и засмеялся:

– Смотрите, и впрямь – 99! Не будь я Свистулькин, если я уже не Коржик, то есть... тьфу! Не будь я Коржик, если я Свистулькин! Верно я говорю?

– Совершенно правильно, – подтвердил Компресик. – Только вы не волнуйтесь, а лучше всего постарайтесь заснуть. Когда вы проснётесь, то всё про Свистулькина забудете. Я сам во всём виноват: не надо было давать вам эти газеты читать.

Свистулькин постепенно успокоился и скоро заснул.

Однако на доктора Компресика после этого разговора напало раздумье. Не то чтобы он сомневался, что Коржик – это не Коржик. Нет! Он был уверен, что Коржик – это Коржик. Но на душе у него было всё-таки неспокойно. Захватив с собой шофёрское удостоверение, он отправился на Макаронную улицу, отыскал дом № 37 и, поднявшись на четвёртый этаж, позвонил у дверей шестьдесят шестой квартиры. Ему отворил дверь Шутило.

– Скажите, здесь живёт Коржик? – спросил доктор Компресик.

– Да, заходите, – ответил Шутило.

Доктор вошёл в комнату, и Шутило сказал сидевшему на диване Коржику:

– Вот, Коржик, к тебе пришли, не будь я Шутило.

Коржик поднялся навстречу Компресику.

– Так это вы Коржик? – удивился Компресик, увидев перед собой настоящего Коржика.

– Да, я. А почему бы мне не быть Коржиком?

– Да, да, конечно, – поспешил согласиться Компресик. – Почему бы вам не быть Коржиком... Но дело в том, что у нас уже есть один Коржик, то есть... тьфу!.. что это я говорю!.. Скажите, вы не потеряли, случайно, своё шофёрское удостоверение ?

– Как же, как же! – обрадовался Коржик. – Я потерял... то есть не потерял, а его унёс с моей курткой тот чудак, который ночевал у нас.

Доктор Компресик достал из кармана удостоверение и показал Коржику.

– Моё, точно!– воскликнул Коржик, увидев удостоверение. – Как оно к вам попало?

Доктор Компресик рассказал Коржику и Шутиле про коротышку, которого доставила к ним в больницу малышка Маковка. А Шутило и Коржик рассказали доктору про коротышку, который неизвестно каким образом заснул у них в квартире и ушёл, надев по ошибке куртку Коржика.

Захватив с собой куртку Свистулькина, Шутило и Коржик отправились с доктором в больницу. Увидев спавшего Свистулькина, они сразу его узнали и подтвердили, что это и есть тот самый коротышка, которого они застали у себя ночью дома. Забрав куртку Коржика, они ушли, предварительно испросив разрешение навестить на следующий день больного и разузнать у него поподробнее, как он попал к ним в квартиру.

Как только Шутило и Коржик ушли, доктор Компресик крепко задумался, после чего сказал:

– Теперь ясно, что наш Коржик – это не Коржик. А раз он не Коржик, то он, без сомнения, не кто иной, как потерявшийся милиционер Свистулькин.

Придя к такому заключению, доктор Компресик позвонил по телефону в редакцию газеты и сообщил, что пропавший милиционер Свистулькин совсем не пропал, а находится у него в больнице. Сейчас же из газеты в больницу прибыл газетный корреспондент Пёрышкин, который поговорил с доктором Компресиком и милиционером Свистулькиным, потом отправился к Шутиле и Коржику, выведал у них всё, что они знали по этому делу, после чего побывал у малышки Маковки, порасспросил и её, наконец заехал в отделение милиции, осмотрел имевшиеся разрушения и поговорил с милиционером Караулькиным.

На следующее утро в газетах появился полный отчёт о похождениях милиционера Свистулькина, и весь город был потрясён неожиданной новостью. Жители рвали друг у друга из рук газеты, в которых печаталось сообщение о том, что наделавший столько шума

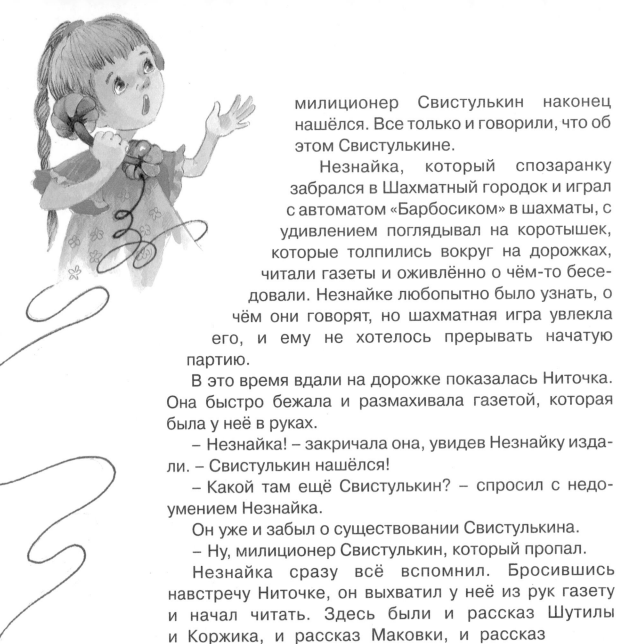

милиционер Свистулькин наконец нашёлся. Все только и говорили, что об этом Свистулькине.

Незнайка, который спозаранку забрался в Шахматный городок и играл с автоматом «Барбосиком» в шахматы, с удивлением поглядывал на коротышек, которые толпились вокруг на дорожках, читали газеты и оживлённо о чём-то беседовали. Незнайке любопытно было узнать, о чём они говорят, но шахматная игра увлекла его, и ему не хотелось прерывать начатую партию.

В это время вдали на дорожке показалась Ниточка. Она быстро бежала и размахивала газетой, которая была у неё в руках.

– Незнайка! – закричала она, увидев Незнайку издали. – Свистулькин нашёлся!

– Какой там ещё Свистулькин? – спросил с недоумением Незнайка.

Он уже и забыл о существовании Свистулькина.

– Ну, милиционер Свистулькин, который пропал.

Незнайка сразу всё вспомнил. Бросившись навстречу Ниточке, он выхватил у неё из рук газету и начал читать. Здесь были и рассказ Шутилы и Коржика, и рассказ Маковки, и рассказ милиционера Караулькина, и рассказ доктора Компресика, и рассказ самого Свистулькина. Свистулькин утверждал, что волшебник, разрушивший стены милиции, был одет в жёлтые, канареечные брюки, по которым его легко будет найти, с тем чтоб отнять у него вредоносную волшебную палочку.

Как только Незнайка прочитал об этом утверждении Свистулькина, на него напал страх. Он побледнел и, усевшись на лавочке, принялся прикрывать газетой свои жёлтые, канареечные брюки. Увидев это, Ниточка рассмеялась.

— Что с тобой, Незнайка? — спросила она. — А, понимаю! Ведь ты тоже в жёлтеньких брюках. Ты боишься, что тебя примут за волшебника, да?

— Да, — признался Незнайка.

— Как тебе не стыдно, Незнайка! — воскликнула Ниточка. — Разве ты не знаешь, что волшебников нет на свете?

— Почему же Свистулькин сказал, что он видел волшебника?

— Глупости! — ответила Ниточка. — Свистулькин болен. У него бред и расстройство воображения. Ему всё это пригрезилось. Вот почитай, что пишет об этом доктор Компресик.

Незнайка принялся читать рассказ доктора Компресика, который был напечатан в газете. Доктор Компресик писал, что милиционер Свистулькин ещё не вполне здоров. Умственные его способности ещё не вполне восстановились после сотрясения мозга, воображение тоже ещё расстроено, в связи с чем больной бредит волшебником в жёлтых брюках, то есть воображает, будто видел его, в то время как он никогда его, конечно, не видел. Однако постепенно это у больного пройдёт, а до тех пор ему придётся находиться в больнице, так как подобные бредящие больные опасны для окружающих.

Прочитав в газете, что Свистулькина ещё не скоро выпустят из больницы, Незнайка немного успокоился, но боялся даже подняться со скамьи, так как ему казалось, что все смотрят на его жёлтые брюки.

— Вот чудной! — сказала Ниточка. — Будто ты один в жёлтых брюках. Посмотри вокруг!

Незнайка огляделся по сторонам и увидел, что многие малыши ходили вокруг в жёлтых брюках.

– Помнишь, когда вы были у нас на фабрике, художница Пуговка создавала проект жёлтых брюк! – сказала Ниточка. – Теперь фабрика освоила эту модель, и со вчерашнего дня жёлтые брюки поступают во все магазины. Теперь это самый модный цвет.

ГЛАВА ДВАДЦАТЬ ШЕСТАЯ

Важные события

Увидев, что никто не обращает внимания на его жёлтые брюки, Незнайка успокоился и перестал думать о милиционере Свистулькине. День он провёл довольно весело и только вечером, когда лёг спать, вдруг почувствовал какое-то беспокойство. Сначала он даже не понимал, что с ним творится. Ему казалось, будто он не то потерял что-то, не то обещал что-то кому-то дать, но не исполнил обещанного, не то ему обещали что-то дать, да так и не дали.

«Шут его разберёт, что такое со мной! – недоумевал Незнайка. – Всё было так хорошо, и вот на́ тебе!»

Он принялся вертеться на кровати с боку на бок, изо всех сил стараясь заснуть, и вдруг услыхал тоненький писк, будто комар пищал. Незнайка насторожился и постепенно в этом писке стал различать слова:

«А ты про милиционера забы-ы-ыл? Забы-ы-ыл?»

«Ишь ты! – удивился Незнайка. – Да это ведь совесть! Ха-ха! Давно, как говорится, не слышали!»

Но совесть не обратила на его насмешки внимания и продолжала:

«Ты вот спишь себе, а милиционера из-за тебя держат в больнице. Пойди лучше к Компресику и скажи, что Свистулькин на самом деле видел у тебя волшебную палочку. Ведь Компресик считает, что Свистулькин не в своём уме, поэтому и находит нужным его лечить».

– Вот наказание! – проворчал сквозь зубы Незнайка. – Как только мне надо спать, она просыпается и начинает зудеть. Ей, видите ли, ночью почему-то не спится.

Однако совесть не умолкала и настойчиво твердила своё:

«Я ведь хочу, чтоб ты был лучше. Я не могу спать, когда вижу, что ты поступаешь скверно».

«Ну ладно, ладно! – с раздражением отвечал Незнайка. – Завтра пойду и расскажу всё. Пусть милиционер накажет меня. И волшебную палочку пусть заберёт! Обойдусь и без палочки. Из-за неё одни неприятности только!»

Не успел Незнайка это сказать, как совесть успокоилась, и он моментально уснул.

На другой день Незнайка, конечно, никуда не пошёл и никому ничего не сказал, а вечером, когда совесть снова принялась упрекать его, он сказал, что исполнит обещанное завтра. Таким образом, он нашёл очень хороший способ ладить со своей совестью. С ней вовсе не нужно было спорить, а, как только она начнёт упрекать, надо было сказать: ладно, мол, сделаю завтра. Совесть моментально утихала, после чего можно было спокойно спать.

Наши путешественники по-прежнему пропадали по целым дням в парке, а в Солнечном городе между тем происходили очень важные события, которые мало-помалу произвели значительные перемены в жизни городских жителей. Огромную роль в этих событиях сыграли трое бывших ослов, то есть уже известные всем Калигула, Брыкун и Пегасик. С тех пор как эта троица встретилась на Макаронной улице и Пегасик придумал протянуть поперёк тротуара верёвку, от которой так пострадал милиционер Свистулькин, они больше не расставались друг с другом. Втроём им было не так скучно, к тому же Брыкун и Калигула надеялись, что Пегасик придумает ещё какое-нибудь интересное мероприятие. Пегасик сказал, что самое интересное дело, которое он знает, – это обливать из шланга водой прохожих, но со временем он, возможно, изобретёт и ещё что-нибудь.

На следующее утро, как только на улицах появились поливальщики цветов, Калигула, Брыкун и Пегасик отняли у одного из них шланг и принялись обливать прохожих. Пока прохожие сообразили, в чём дело, многие были облиты с головы до ног. Такую же шутку Калигула, Брыкун и Пегасик проделали с прохожими и на другой улице, потом на третьей. Все эти подвиги их не прошли незамеченными, и на следующий день в газете появилось новое сообщение. Вот что там было написано:

«Нам уже приходилось сообщать в нашей газете, как двое неизвестных прохожих завладели шлангом для поливки цветов и поливали из него пешеходов на улице. За вчерашний день произошло ещё несколько таких же нелепых случаев. Один из облитых с ног до головы пешеходов простудился и заболел. В настоящее время он находится в больнице, где, по всей вероятности, ему придётся пролежать несколько дней.

Необходимо отметить, что случаи обливания холодной водой прохожих являются дикими, несообразными выходками, которые уже давно не наблюдались в нашем городе. Последний раз такой случай произошёл несколько десятков лет назад. В те далёкие от нас времена ещё существовали коротышки, которым доставляло удовольствие делать неудовольствие другим коротышкам. Так, например, некоторым из них нравилось, подкравшись к кому-нибудь сзади, неожиданно ударить кулаком по спине или вылить кружку холодной воды на голову. Многие из них любили играть в пятнашки. Сбивая прохожих с ног, они носились по улицам шибче ветра, почему и получили название ветрогонов.

В результате проведённых воспитательных мероприятий ветрогоны перестали существовать в нашем городе уже много лет назад. Остаётся невыясненным, являются ли обливавшиеся водой коротышки ветрогонами, уцелевшими от прошлых времён, или это какие-нибудь новые, неизвестно откуда появившиеся ветрогоны. Надо надеяться, что в будущем всё это выяснится».

Кстати сказать, обливание водой из шланга было не единственным развлечением у наших ветрогонов. Увидев, что жители Солнечного города часто играли в прятки, они тоже стали играть в эту игру, но внесли в неё некоторые усовершенствования. Впоследствии эта усовершенствованная игра получила даже некоторое распространение среди простых коротышек и была названа ветрогонскими прятками. Каждый играющий в эту игру брал в руки кружку с водой. Тот, кто искал, должен был не только найти того, кто прятался, но и облить его из кружки водой, а тот, кто прятался, должен был облить того, кто искал. Точно так же появилась игра, которая была названа ветрогонскими пятнашками. При этой игре играющие гонялись друг за дружкой и обливались водой из кружек. Как только пятнашке удавалось облить кого-нибудь, он сейчас же переставал быть пятнашкой, а вместо него пятнашкой становился облитый, который, в свою очередь, старался облить остальных игроков.

Кроме подвижных игр, Калигула, Брыкун и Пегасик очень быстро освоили и настольные игры, как, например, лото, домино, бильярд, шашки и даже шахматы. Однако и здесь играть просто, как все играли, им не понравилось, и Пегасик, который был самый изобретательный из них, предложил играть на щелчки. При этом методе проигравший партию в шахматы, шашки, домино или бильярд подставлял лоб, а выигравший давал ему один, два или какое-либо другое заранее обусловленное количество щелчков.

Необходимо напомнить, что все эти дикие выходки происходили потому, что Калигула, Брыкун и Пегасик были не обычные коротышки. В каждом из них осталось кое-что от животного состояния, в котором они пребывали прежде. Особенной грубостью отличался Брыкун. Он никогда никому не уступал дороги на улице – наоборот, норовил толкнуть каждого встречного, наступал всем на ноги и плевался куда ни по́падя. Вместо того чтоб смеяться потихоньку, он оглушительно ржал, так что прохожие шарахались от испуга в стороны и затыкали руками уши. Если ему что-нибудь было надо, он не просил, а просто брал или отнимал. Если же ему не давали, то он лягался ногами, а иногда даже пытался кусать. Он всех называл лопухами и другими обидными прозвищами, всем грозился оборвать уши, выдумал лазить в чужие квартиры, когда хозяева спали, и брать без спросу их вещи.

Впрочем, Пегасик и Калигула были ничем не лучше. Им всем троим по-прежнему казалось странным, что они ходят не на четырёх ногах, а на двух. Их всё время одолевало желание опуститься на четвереньки и закричать по-ослиному, но какая-то внутренняя сила удерживала их от этого. В результате неудовлетворённого желания их начинала грызть тоска, белый свет становился не мил, и всё время словно сосало под ложечкой, а от этого хотелось выкинуть какую-нибудь скверную шутку, чтобы и у других на душе сделалось так же нехорошо, как у них. Если бы Незнайка узнал об их мучениях, то поскорей превратил бы их обратно в ослов. Но он ничего об этом не знал.

Жители Солнечного города часто видели всех троих друзей вместе. Каждому невольно бросалось в глаза имевшееся между ними сходство. И на самом деле, все трое были одеты как бы по одной моде: в яркие цветастые пиджаки с узенькими, короткими рукавами, из которых торчали увесистые кулаки, длинные и широкие брюки ядовитого зеленовато-жёлтого цвета, а на головах вместо шляп или кепок – какие-то непривычные береты с яркими пятнами. Если присмотреться внимательней, то и в лицах можно было заметить сходство. Особенно обращало на себя внимание, что у каждого был коротенький, словно пуговка, нос и длинная верхняя губа, что придавало лицу какое-то недоумевающее, глуповатое выражение. Различие, как уже говорилось, было лишь в том, что у Пегасика веснушки сидели только на носу, у Брыкуна – на носу и на щеках, а у Калигулы всё лицо было усеяно веснушками, словно маком.

Поскольку в Солнечном городе очень большое значение придавалось одежде и вообще модам, многие жители тут же обратили внимание на то, как были одеты Калигула, Брыкун и Пегасик. Некоторые сразу вообразили, что появилась новая мода, и бросились в магазины. Однако ни цветастых пиджаков с узенькими рукавами, ни пёстрых беретов в магазинах не оказалось. Единственное, что можно было получить, – это жёлтые брюки. Многие тут же нарядились в жёлтые брюки, но вскоре увидели, что эти брюки были не

такие, как надо. Во-первых, они были недостаточно широкие; во-вторых, недостаточно длинные; в-третьих же, они были просто жёлтые, в то время как настоящие модные брюки были не чисто жёлтые, а с зеленоватым оттенком. Огромные количества жёлтых брюк, выпущенные одёжной фабрикой, остались лежать в магазинах. Их никто не хотел брать. Иголочка готова была рвать на себе волосы от досады. А в это время из магазинов стали поступать на фабрику требования присылать широкие жёлто-зелёные брюки, пиджаки с узкими рукавами и пёстрые береты.

— С ума можно сойти от таких требований! — кипятилась Иголочка. — Где это видано, чтоб брюки были широкие, а пиджаки с узкими рукавами! Нет, мы этого допустить не можем! Это безвкусно.

— Конечно! — вторила ей Пуговка, которая была очень рассержена тем, что сделанные по её проекту брюки не находили сбыта. — Где это видано, чтоб брюки были жёлто-зелёные! Это не художественно! Не эстетично!

– Нет, нет! – подхватила Иголочка. – Наша фабрика таких брюк выпускать не будет. Пусть они там хоть совсем без брюк ходят, нам дела нет!

Некоторые любители одеваться по моде, не дожидаясь, когда фабрики начнут выпускать нужные им фасоны одежды, стали сами шить себе из зеленовато-жёлтой материи брюки такой длины и ширины, как им хотелось. С модными пиджаками и беретами дело обстояло проще. Достаточно было взять в магазине любой пиджак, укоротить и обузить у него рукава, и пиджак сразу становился модным. Для изготовления беретов употреблялись обычные шляпы. Для этого у шляпы начисто обрезались поля, так что вместо шляпы получался как бы колпак. У этого колпака подвёртывались внутрь края, наносились пятна какой-нибудь краской, а сверху пришивался из кусочка верёвочки хвостик. Некоторые модники добились больших успехов в портняжном искусстве, а в одном доме даже появилось общество по изучению кройки и шитья.

Нужно сказать, что подражание трём бывшим ослам не ограничивалось одной одеждой. Некоторые коротышки так усердствовали в соблюдении моды, что хотели во всём быть похожими на Калигулу, Брыкуна и Пегасика. Часто можно было видеть какого-нибудь коротышку, который часами торчал перед зеркалом и одной рукой нажимал на свой собственный нос, а другой оттягивал книзу верхнюю губу, добиваясь, чтобы нос стал как можно короче, а губа как можно длиннее. Были среди них и такие, которые, нарядившись в модные пиджаки и брюки, бесцельно шатались по улицам, никому не уступали дороги и поминутно плевались по сторонам.

В газетах между тем иногда стали появляться сообщения о том, что где-нибудь кого-нибудь облили водой из шланга, где-нибудь кто-нибудь споткнулся о верёвку и разбил себе лоб, где-нибудь в кого-нибудь бросили из окна каким-нибудь твёрдым предметом, и тому подобное.

Честные коротышки, которых, конечно, было большинство в городе, возмущались всем этим, а один газетный читатель, по имени Букашкин, опубликовал даже большую статью в газете. В этой статье читатель Букашкин писал, что он возмущается той невозмутимостью, с которой все смотрят на творящиеся вокруг безобразия. Он утверждал, что во всех этих безобразиях виноваты неизвестно откуда взявшиеся ветрогоны, в существовании которых теперь уже можно не сомневаться. Букашкин писал, что, откуда бы ни взялись эти ветрогоны, с ними так или иначе надо бороться. Для того чтобы бороться с ветрогонами, Букашкин предлагал организовать общество наблюдения за порядком. Члены этого общества должны были ходить по улицам, задерживать провинившихся ветрогонов и подвергать их аресту: кого на сутки, а кого и больше, в зависимости от размера вины.

В ответ на статью Букашкина в другой газете появилась статья читателя Таракашкина, который доказывал, что никакого общества наблюдения за порядком организовывать не надо, так как такое общество давным-давно организовано, и это не что иное, как всем известная милиция, которая, однако ж, забыла, что ей надо заниматься тем делом, для которого она была создана. По словам Таракашкина, в прежние времена в Солнечном городе никаких автомобилей не было, по улицам ходили одни пешеходы, и милиция наблюдала только за тем, чтоб они не баловались, не хулиганили, не дрались между собой, так как в те времена многие коротышки были ещё очень задиристые. С годами характер коротышек заметно улучшился. Все сделались вежливые и воспитанные, стали вести себя вполне хорошо и культурно. В то же время на улицах начали появляться разные автомашины, мотоциклы, велосипеды. Милиционеры занялись регулировкой уличного движения и впоследствии даже забыли, что когда-то им приходилось наблюдать за поведением жителей и обуздывать не умеющих себя вести ветрогонов. В заключение Таракашкин писал, что милиция снова должна заняться своим прямым делом и начать борьбу с ветрогонами, не дожидаясь организации какого-то общества или сообщества.

Вслед за этим в различных других газетах по этому вопросу появилась целая куча статей разных коротышек. Одни коротышки поддерживали мнение Букашкина, указывая, что у милиции теперь есть много забот по регулированию уличного движения, поэтому без организации общества наблюдения за порядком не удастся справиться с беспорядком; другие писали, наоборот, что никакое

общество наблюдения за порядком не справится с беспорядком, так как ни у кого нет опыта в этом деле, и поэтому борьбой с ветрогонами должна заниматься милиция. Со статьями по этому вопросу выступили такие коротышки, как Гулькин, Мулькин, Промокашкин, Черепушкин, Кондрашкин, Чушкин, Тютелькин, Мурашкин, а также профессорша Мордочкина.

Особенное внимание обратил на себя коротышка Кондрашкин, который писал статьи в излишне резкой форме, называя ветрогонов разными обидными именами, как, например, обломами, вертопрахами, пижонами, пустобрёхами, хулиганами, вислюганами, питекантропами, печенегами и непарнокопытными животными, а милиционеров – растяпами, ротозеями, недотёпами, лопоухими губошлёпами, рохлями, размазнями и самозабвенными свистунами. Такая резкость со стороны Кондрашкина объяснялась тем, что его самого облили перед этим на улице водой, а находившийся неподалёку милиционер даже не обратил на это внимания, так как смотрел в другую сторону.

ГЛАВА ДВАДЦАТЬ СЕДЬМАЯ

Во власти ветрогонов

В то время как в газетах разгорался спор о том, надо или не надо милиции вести борьбу с ветрогонами, милиционеры сами начали эту борьбу. Дело в том, что как только на улице происходил какой-нибудь такой случай, так сейчас же вокруг собиралась толпа коротышек. Любопытных обычно было такое множество, что они занимали не только тротуары, но и всю мостовую. От этого движение авто-

транспорта останавливалось, и дежурному милиционеру хочешь не хочешь, а приходилось вмешиваться, чтоб устранить образовавшийся затор.

Однажды произошёл такой случай. По улице навстречу друг другу шли двое коротышек – Супчик и Кренделёк. Оба были одеты по самой последней моде, то есть в широкие жёлто-зелёные брюки и пиджаки с узкими рукавами. Они не хотели уступить друг другу дороги, в результате чего один наступил другому на ногу (кто кому, сейчас уже в точности неизвестно). Как только это случилось, они принялись обзывать друг друга разными словами. Моментально образовалась толпа. Движение транспорта остановилось, прибежал милиционер Сапожкин и стал просить всех разойтись, но никто не расходился. Супчик же между тем ударил кулаком Кренделька по затылку и подставил синяк под глазом. Тогда милиционер Сапожкин схватил за шиворот Супчика и потащил в отделение милиции. По дороге Супчик пытался вырваться и укусил милиционера за руку. Сапожкин очень рассердился и, когда пришёл в милицию, достал из шкафа хранившуюся там с незапамятных времён толстую книгу, в которой были записаны все старинные законы, и вычитал в ней, что за каждый удар по затылку в старину полагались одни сутки ареста, за синяк под глазом – трое суток и за укус руки – тоже трое. Решив применить этот древний закон, Сапожкин сказал Супчику, что он арестован за все его преступления на семь суток, и отвёл его в отдельную комнатку, которая имелась при каждом отделении милиции и называлась почему-то «холодильником». Происхождение этого названия было теперь уже никому не известно. Само название сохранилось, а вот от чего оно произошло – это, как говорится, затерялось во мраке прошлого. В этой комнате на самом деле не было холодно, хотя, может быть, когда-то давно в ней поддерживалась прохладная температура. Единственное, чем теперь эта комната отличалась от остальных, было то, что она запиралась на ключ.

Оставив Супчика в «холодильнике», милиционер Сапожкин принёс ему из столовой ужин, а сам пошёл домой и лёг спать. И вот тут-то с ним случилась история, которая часто бывала с Незнайкой. Короче говоря, его начала донимать совесть. Ему стало казаться, что он не имеет права спокойно спать и вообще находиться на свободе, в то время как другой коротышка сидит взаперти и не может никуда выйти. Промучившись полночи, Сапожкин вернулся в милицию и выпустил из «холодильника» Супчика. Однако, когда он пришёл домой, совесть снова принялась упрекать его. Она доказывала, что он поступил не по закону, отпустив на свободу ветрогона, которому полагалось сидеть взаперти семь суток.

С тех пор такие случаи стали происходить и с другими милиционерами. Все они, по примеру милиционера Сапожкина, сначала сажали задержанных ветрогонов в «холодильник», но потом их начинали мучить угрызения совести. Не выдержав укоров совести, они отпускали узников на свободу, после чего их начинали терзать сомнения, правильно ли они поступили, нарушив закон.

Совершив такой поступок, многие милиционеры теряли сон и аппетит и не находили себе места от беспокойства, а один милиционер, отпустив нарушителя на свободу, раскаивался до такой степени, что засадил сам себя под арест и успокоился лишь после того, как отсидел в «холодильнике» четверо суток.

После случая с Супчиком милиционер Сапожкин обдумал всё, что произошло с ним, и выступил по телевидению с докладом, в котором доказывал, что запирать ветрогонов в «холодильник» нехорошо. Вместо этого надо высмеивать их в газетах и журналах, рисовать на них карикатуры, сочинять разные стишки и рассказики об их проделках – тогда они сразу исправятся и поумнеют. Это предложение всем очень понравилось.

В газетах моментально появилось множество разных шаржей и карикатур. Ветрогонов рисовали в широчайших жёлто-зелёных штанах и в пиджаках с такими узенькими рукавами, каких и не бывает. Носики всем рисовали крошечные, верхнюю же губу вытягивали до такой степени, что было страшно смотреть. В каждой газете можно было встретить какой-нибудь занятный рассказец из ветрогонской жизни, и нужно сказать, что публика очень любила читать всю эту писанину; особенно же некоторым читателям нравились рассказы в картинках о проделках ветрогонов, так как это было для них очень смешно.

Несмотря на насмешки, которым подвергались со всех сторон ветрогоны, количество их всё же не уменьшалось. Основная беда была, конечно, не в том, что коротышки напяливали на себя нелепые жёлто-зелёные брюки и пиджаки с идиотскими рукавами. Самое главное заключалось в том, что они перенимали манеры, замашки и повадки ветрогонов. Так, многие коротышки, которым раньше и в голову не приходило делать что-либо худое, теперь преспокойно плевали из окон пятого этажа кому-нибудь на голову, воображая, что это на самом деле очень остроумно. Некоторые брали в библиотеке книги, вырывали страницы и делали из них бумажных голубей. Их не заботило, что книгу после этого уже нельзя было читать. Появились также любители играть на щелчки. Нашлись даже такие «деятели», которые стали играть не только на щелчки, но и на затрещины, тумаки и подзатыльники, причём установили таксу, по которой одна затрещина равнялась двум подзатыльникам, пяти тумакам или десяти щелчкам. Каждый проигравший имел право получить от выигравшего вместо десятка щелчков одну затрещину, пять тумаков либо парочку подзатыльников.

В общем, ветрогоны — это, как уже говорилось, была такая публика, которая любила делать неудовольствие другим коротышкам. Некоторые ветрогоны скоро поняли, что, развлекаясь на улице, они не могут доставить неудовольствие сразу большому количеству жителей, поэтому их мечтой стало забраться в помещение, где было бы побольше коротышек, и устроить переполох. Этот замысел удалось выполнить нескольким ветрогонам, которые пробрались в концертный зал и при большом стечении публики принялись давать концерт на расстроенных и испорченных музыкальных инструментах. Это была такая дикая музыка, что никакое ухо не могло выдержать, но ветрогоны распустили слух, что это самая модная теперь музыка и называется она какофония.

Эта какофония стала распространяться по городу, и скоро появилось ещё несколько оркестров, которые играли на поломанных и расстроенных инструментах. Особенно модным в то время считался какофонический оркестр «Ветрофон». Он был небольшой и состоял всего из десяти коротышек. Один из этих коротышек играл на консервной банке, другой пел, третий пищал, четвёртый визжал, пятый хрюкал, шестой мяукал, седьмой квакал; остальные издавали другие разные звуки и били в сковороды.

Любители музыки приходили на концерты этих модных оркестров, слушали и с истерзанными до боли ушами возвращались домой, проклиная на чём свет стоит всякую какофонию, ветрофонию и своё собственное существование в придачу.

Театр тоже не избежал новых влияний. Нужно отметить, что большое значение во всём этом деле имела мода. Как только один из самых видных театральных режиссёров нарядился в модный костюм с широченными жёлто-зелёными брюками и в пёстрый беретик с кисточкой, он сейчас же сказал, что театр – это не музей, он не должен отставать от жизни, и если в жизни теперь всё делается не так, как надо, то и в театре следует делать всё шиворот-навыворот.

Если раньше зрители сидели в зале, а актёры играли на сцене, то теперь, наоборот, зрители должны сидеть на сцене, а актёры играть в зрительном зале. Этот режиссёр, имя которого, кстати сказать, было Штучкин, так и сделал в своём театре. Поставил на сцене стулья и посадил на них зрителей, но, поскольку все зрители не поместились на сцене, он остальную часть публики посадил в зрительном зале, а актёров заставил играть посреди публики.

— Это даже ещё чуднее выйдет! — радовался режиссёр Штучкин. — Раньше зрители сидели отдельно и актёры играли отдельно, а теперь актёры прямо среди зрителей будут.

Конечно, никакой актёр, находясь среди публики, не мог вертеться с такой скоростью, чтоб всем было видно его лицо. Получилось так, что одним было видно только лицо актёра, а другим – только затылок. С декорациями тоже получалась какая-то чепуха. Одни зрители видели актёров и декорации, другие не видели ни того ни другого, так как декорации были повёрнуты к ним обратной стороной и заслоняли актёров. Чтобы никто не скучал при виде такого неинтересного зрелища, режиссёр Штучкин

велел нескольким актёрам бегать во время представления по залу, обсыпать зрителей разноцветными опилками, бить их по головам хлопушками и надутыми воздухом пузырями.

Публике не очень нравились все эти театральные штучки, но режиссёр Штучкин сказал, что это как раз хорошо, потому что если раньше хорошим считался спектакль, который нравился зрителям, то теперь, когда всё стало наоборот, хорошим надо считать тот спектакль, который не нравится никому. Такие рассуждения никого ни в чём не убедили, и публика часто уходила со спектакля задолго до его окончания. Это не очень расстроило режиссёра Штучкина. Он сказал, что придумает какую-нибудь новую штучку и тогда все будут сидеть как пришитые. Он и на

самом деле придумал намазать перед началом спектакля все скамейки смолой, чтобы зрители прилипли и не могли уйти. Это помогло, но только на один раз, потому что с тех пор в театр к Штучкину уже никто не ходил.

Сначала Незнайка, Кнопочка и Пёстренький не замечали перемен, которые произошли в Солнечном городе, так как в парке, где они пропадали по целым дням, некоторое время всё ещё оставалось по-прежнему. Однако вскоре ветрогоны появились и там. Они принялись бродить по аллеям парка, толкая посетителей, обзывая их какими-нибудь нехорошими именами, бросаясь комьями грязи и горланя нестройными голосами какие-то некрасивые песни. В Водяном городке они проткнули булавками все резиновые надувные лодки, в Шахматном городке поломали шахматные автоматы.

Кнопочка, которая была очень чувствительна ко всякому невежеству, удивлялась, как она раньше не замечала, что в парке такая нехорошая публика.

– Лучше не будем сюда больше ходить, – сказала она Незнайке и Пёстренькому. – Будем просто гулять по улицам, как раньше.

Они стали просто гулять по улицам и только тут заметили, насколько изменилась жизнь в городе. Теперь уже редко можно было увидеть весёлые, радостные лица. Все чувствовали себя как бы не в своей тарелке, ходили словно пришибленные и пугливо оглядывались по сторонам. Да и было чего пугаться, так как в любое время из-за угла мог выскочить какой-нибудь ветрогон и сбить пешехода с ног, выплеснуть ему кружку воды в лицо, или, осторожно подкравшись сзади, неожиданно крикнуть над ухом, или, ещё того хуже, дать пинка или подзатыльника.

Теперь уже в городе не было того весёлого оживления, которое наблюдалось раньше. Пешеходов стало значительно меньше. Никто не останавливался, чтобы подышать свежим воздухом или поговорить с приятелем. Каждый старался проскочить незаметно по улице и поскорее шмыгнуть к себе домой. Многие перестали обедать

в столовых, где их мог оскорбить любой затесавшийся туда ветрогон. Большинство предпочитали получать завтраки, обеды и **ужины** при помощи кухонных **лифтов** и принимать пищу в спокойной обстановке у себя **дома**. Многие даже перестали ходить в театры и на концерты, так как боялись попасть на какофоническую музыку или угодить на спектакль, где посетителей хлопали по головам пузырями или приклеивали к стульям смолой.

Жить в Солнечном городе стало не так интересно, как раньше, и вскорости произошёл случай, после которого наши путешественники решили вернуться обратно в Цветочный город. Однажды они гуляли на берегу реки, и Пёстренький предложил покататься на надувной резиновой лодке. Отправившись на лодочную пристань, они выбрали лодку и заехали на ней чуть ли не на середину реки, в это время к ним подплыл сзади какой-то ветрогон и проткнул лодку булавкой. Воздух из надувной лодки вышел, и наши путешественники стали тонуть. Их, конечно, успели спасти, но все трое промокли до нитки.

Этим, однако, не кончились их злоключения. Вечером они, как обычно, пошли в театр. В этот день должен был состояться так называемый новомодный синтетический спектакль. Синтетическим спектакль назывался потому, что в нём соединялись в одно целое все новейшие достижения концертного и театрального искусства. В то время как большой какофонический оркестр терзал своей музыкой уши слушателей, им ещё, сверх того, показывали длинное представление с декорациями, на которых было нарисовано не поймёшь что, с актёрами, которые изображали не разберёшь кого, с обсыпанием публики опилками и битьём по головам хлопушками и наполненными воздухом пузырями.

Пока Незнайку, Кнопочку и Пёстренького обсыпали опилками и били по головам пузырями, они молча терпели, так как знали, что в театре без этого нельзя. Однако в дальнейшем появились

новые режиссёрские штучки, к которым они ещё не привыкли. Одна из этих штучек заключалась в том, что во время перерыва между действиями свет в зрительном зале не зажигали, как это делали обычно, а, наоборот, гасили его, в результате чего зрители принуждены были сидеть во время антракта в кромешной тьме. И вот, когда после первого действия свет в зале погас, кто-то собрал с полу целую горсть опилок и высыпал за шиворот Кнопочке. В это же время кто-то проделал точно такую же штуку с Незнайкой. Что же касается Пёстренького, то ему кто-то вылил за шиворот стакан холодной воды. Кто это сделал, не было видно из-за темноты. Кнопочка, Незнайка и Пёстренький очень обиделись на такое бесцеремонное обращение и решили уйти из театра, но, попытавшись встать, почувствовали, что прилипли к стульям. С трудом оторвавшись от стульев, они направились к выходу, и, когда выходили из театра, кто-то дёрнул Кнопочку за косу и вдобавок дал увесистого тумака по шее.

ГЛАВА ДВАДЦАТЬ ВОСЬМАЯ
Открытие профессора Козявкина

Всё это, как говорится, переполнило чашу терпения Кнопочки, и, когда друзья вернулись в гостиницу, она сказала:

— Пора нам ехать домой. Больше я не хочу оставаться в Солнечном городе!

— Я тоже не хочу жить в этом паршивеньком Солнечном городишке! — подхватил Пёстренький. — Очень нужно, чтоб мне за шиворот лили холодную воду!

– Ну что ж, друзья, – согласился Незнайка. – Сегодня уже поздно, а завтра с утра мы можем отправляться в обратный путь. А сейчас мы пойдём с тобой, Пёстренький, и разыщем наш автомобиль, который мы оставили в день приезда где-то посреди улицы.

Незнайка и Пёстренький пошли разыскивать автомобиль, а Кнопочка села за маленький столик в углу, зажгла электрическую лампочку и стала читать газету, которую не успела прочитать утром.

В те дни многие газеты писали о том, что милиционеры не умеют как следует бороться с ветрогонами и проявляют по отношению к ним слишком много мягкости, а ветрогоны от этого чувствуют себя безнаказанными и безобразничают ещё больше. Прочитав одну такую статью, Кнопочка решила отложить газету в сторону, но тут ей на глаза попалась статья, которая называлась: «Рассказ профессора Козявкина о том, как он узнал, кто такие ветрогоны, откуда они произошли и как с ними бороться». Вот что писал профессор Козявкин в своей статье:

«Однажды, гуляя по зоопарку, я увидел очень странное явление природы. На моих глазах осёл, который находился за решётчатой загородкой, неожиданно превратился в коротышку. Это удивительное явление так озадачило меня, что я на минуту остолбенел. Однако всё, что произошло дальше, я прекрасно разглядел и запомнил. Так, например, я хорошо видел, что перед загородкой в это время стояли два малыша. Один был в жёлтых брюках, другой – в пёстренькой тюбетейке с узорами. Тот, который был в жёлтых брюках, держал в руках небольшую палочку. Этой палочкой он размахивал у осла перед носом, желая, должно быть, подразнить животное. В ответ на это осёл, превратившись в коротышку, дал дразнившему такого щелчка, что бедняга отскочил в сторону. После этого бывший осёл перелез через ограду и погнался за обоими малышами, которые бросились от него удирать. Я побежал за ними вдогонку, чтобы произвести научное наблюдение над превратившимся в коротышку ослом, но по дороге потерял очки, без которых почти ничего не

видел. Пока я разыскивал очки, оба малыша и преследовавший их бывший осёл успели скрыться, и мне больше не удалось их встретить. Однако я хорошо запомнил, что бывший осёл был одет в широкие зеленовато-жёлтые брюки и пиджак с узенькими рукавами, а на голове у него был пёстрый берет с кисточкой.

Вернувшись домой, я начал обдумывать происшедший случай и пришёл к выводу, что всё это мне показалось. Но спустя несколько дней я начал встречать коротышек, которые были одеты точно так же, как виденный мною бывший осёл. Эти коротышки вскорости получили название ветрогонов. Они хулиганили на улицах, обижали прохожих, совершали разные дикие выходки и вообще не умели себя вести по-коротышечьи. Поэтому я пришёл к выводу, что все эти

коротышки вовсе не коротышки, а бывшие ослы, то есть ослы, превратившиеся в коротышек.

Я не торопился сообщить в газету о своём научном открытии, потому что не мог объяснить, почему в городе появилось такое большое количество ветрогонов. Если допустить, что каждый ветрогон – это бывший осёл, то останется непонятным, откуда у нас взялось столько ослов. Насколько мне было известно, ослы у нас имелись только в зоопарке. Обратившись к сотрудникам зоопарка, я узнал, что в зоопарке было всего три осла, да и те куда-то исчезли. Таинственное исчезновение трёх ослов подтверждало мою научную догадку о том, что эти ослы превратились в ветрогонов, однако это не могло объяснить, откуда взялись все остальные ветрогоны.

Несколько дней подряд я ломал голову и безуспешно пытался найти ответ на этот вопрос. В конце концов в этом деле помог мне случай. В доме, где я живу, по соседству с моей квартирой живёт коротышка, по имени Чубчик. Этого Чубчика я хорошо знаю и даже лично знаком с ним. Он всегда был примерным малышом, никогда не шалил, никому не грубил и вообще ничего плохого не делал. Представьте себе моё удивление, когда я узнал, что Чубчик стал ветрогоном. Нарядившись в широкие жёлто-зелёные брюки и пиджак с узки-ми рукавами, он принялся хули-ганить и безобразничать на улице, так что никому не давал прохода. Если бы я лично не знал Чубчика, то мог бы поду-мать, что ветрогоном может стать только такое животное, как осёл, но теперь для меня стало ясно, что ветрогоном может сделаться и обычный, простой коротышка.

Продолжая свои научные наблюдения, я убедился, что ветрогоны бывают двух сортов. Ветрогоны первого сорта, или дикие ветрогоны,— это те, которые произошли от ослов. Ветрогоны второго сорта, или домашние ветрогоны, — это те, которые произошли от простых коротышек. Дикие ветрогоны – существа глупые от природы, на них не действуют никакие воспитательные мероприятия, поэтому, сколько их ни учи, они так ветрогонами и останутся. Домашние ветрогоны – существа более осмысленные, но у них очень мягкий характер, поэтому они легко перенимают как плохое, так и хорошее. Поскольку на диких ветрогонов воспитательные меры не действуют, их необходимо превратить обратно в ослов; тогда домашние ветрогоны не будут иметь перед глазами плохих примеров и снова станут хорошими коротышками. И тогда в городе опять восстановится нормальная жизнь. Никто не станет ни бить вас, ни толкать, ни кусать, ни обливать водой и так далее. В театре перестанут выворачивать всё шиворот-навыворот и мазать скамейки смолой. На концерты можно будет ходить, не опасаясь услышать вместо музыки поросячий визг, собачий вой и лягушиное кваканье. В общем, всё станет хорошо. А сейчас не будем предаваться унынию и пожелаем, чтоб наша наука нашла поскорей способ превращать диких ветрогонов в ослов».

Несмотря на то что профессор Козявкин призывал читателей не предаваться унынию, Кнопочка приуныла. Прочитав статью, она убедилась, что во всём виноват был Незнайка, который превратил ослов в коротышек. Конечно, Кнопочка и себя винила в том, что недоглядела за Незнайкой и позволила натворить ему столько бед. Тихая, скромная Кнопочка, которая не способна была обидеть даже муху, рассердилась так, что готова была поколотить Незнайку.

– Ну, хорошо же! – ворчала она, сжимая изо всех сил кулачки. – Пусть он только вернётся! Узнает он у меня, как превращать ослов в коротышек! Подумаешь, какой волшебник выискался!

Незнайка и Пёстренький, однако, не возвращались. Кнопочка начала беспокоиться и уже даже хотела идти разыскивать их, но в это время увидела в газете другую статью, которая её очень заинтересовала. Забыв о Незнайке, Кнопочка начала читать и прочитала следующее:

«Многие читатели уже знают о загадочном исчезновении малыша Листика. Несмотря на продолжительные поиски, он нигде обнаружен не был. Теперь, когда почти все перестали искать пропавшего и только малышка Буковка не теряет надежды найти его, в газету поступили сведения, которые могут пролить свет на это происшествие. Нам стало известно, что в тот день, когда Листик исчез, по Восточной улице проходил коротышка Штанишкин. Недалеко от угла Бисквитной улицы Штанишкин заметил валявшуюся посреди тротуара книгу. Подняв книгу, Штанишкин увидел, что это были «Удивительные приключения замечательного гусёнка Яшки». На книге имелся штамп библиотеки. Это подсказало Штанишкину мысль, что кто-то взял книгу в библиотеке, понёс домой и потерял по дороге. Прочитав на штампе адрес библиотеки, Штанишкин решил отнести книгу по адресу, но в этот день уже было поздно и библиотека оказалась закрытой. Тогда Штанишкин взял книгу к себе домой, с тем чтоб отнести её на другой день. Дома он задумал почитать эту книгу; она ему понравилась, и он решил отдать её в библиотеку после того, как прочитает всю до конца.

Этот Штанишкин оказался не особенно усердным читателем, так как читал он каждый день понемножку, то есть по одной главе, в результате чего чтение у него растянулось на долгое время. Он уже начал забывать, что книга эта не его собственная, а библиотечная, но всё-таки когда окончил чтение, то вспомнил, что книгу надо отдать.

В конце концов Штанишкин явился в библиотеку и рассказал библиотекарше, что нашёл книгу на улице. Библиотекарша посмотрела по списку и обнаружила, что книга «Удивительные приключения замечательного гусёнка Яшки» была выдана малышу Листику и именно в тот самый день, когда он пропал.

Таким образом, было установлено, что Листик взял книгу в библиотеке, после чего пошёл по

Восточной улице и потерял книгу недалеко от своего дома. Что случилось с ним дальше, до сих пор остаётся невыясненным. Может быть, с Листиком произошёл такой же случай, как с милиционером Свистулькиным, и он проживает где-нибудь под чужим именем.

Мы ещё раз просим каждого, кто знает что-нибудь о местопребывании Листика, поскорей сообщить об этом в редакцию нашей газеты».

Дочитав статью до конца, Кнопочка крепко задумалась и сказала сама себе:

— Что ж это творится такое? Значит, Незнайка солгал мне, что превратил Листика обратно в коротышку. Нечего сказать, хороши дела!

В это время вернулись Незнайка и Пёстренький.

— Всё в порядке! — закричал Незнайка, сияя от радости. — Автомобиль наш нашёлся. Мы поставили его на улице против гостиницы. Завтра можно будет ехать.

— Это куда ты собрался ехать? — нахмурилась Кнопочка.

— Как — куда? Домой, в Цветочный город. Мы ведь решили...

— «Решили»! — передразнила его Кнопочка. — Натворил тут дел всяких! Испортил всем жизнь, а сам удирать!

Незнайка вытаращил на неё глаза:

— Каких это я дел натворил? Кому жизнь испортил?

— Будто не знаешь, кому! А ветрогоны, от которых никому нет покоя, — это чья работа, по-твоему?

— Чья? — с недоумением спросил Незнайка.

— Твоя!

— Моя?! — От удивления Незнайка даже разинул рот.

— Ну и нечего тут рот разевать! — сердито сказала Кнопочка. — Почитай вот лучше газету.

Незнайка схватил поскорей газету, сел за стол и принялся читать. Пёстренький подошёл сзади и стал заглядывать в газету через плечо Незнайки.

– Вот потеха! – засмеялся он. – Этот профессор Козявкин, конечно, нас видел возле ослиной загородки. Только он не догадался, что у Незнайки в руках была волшебная палочка, и подумал, что осёл сам собой превратился в коротышку.

– Довольно тебе тут болтать! – сердито ответил Незнайка. – И без тебя всё ясно.

Прочитав до конца статью профессора Козявкина, Незнайка крякнул с досады и, виновато взглянув на Кнопочку, принялся чесать пятернёй затылок.

– Вот чего, оказывается, натворил! – смущённо пробормотал он.

– Это ещё не всё! – снова нахмурилась Кнопочка. – Ты ещё про Листика почитай.

– Про какого Листика?

– Читай, читай! Будто не помнишь?

Незнайка начал читать в газете про Листика, а Пёстренький снова пристроился сзади и заглядывал через плечо.

– Значит, Незнайка вместо Листика превратил в коротышку настоящего осла, потом ещё двух, а Листик так и остался ослом! – сказал Пёстренький, трясясь от смеха.

– Н-н-да-а! – протянул Незнайка, прочитав статью. – Ишь ты, какая штука вышла! Что же теперь делать?

– Что? – сердито переспросила Кнопочка. – Во-первых, надо Листика поскорей превратить в коротышку. Бедная Буковка небось извелась совсем. А во-вторых, всех трёх ослов, которых ты превратил в коротышек по ошибке, надо превратить обратно в ослов.

– Правильно! – подтвердил Незнайка. – Завтра с утра пойдём в зоопарк и поищем там Листика. Раз его не оказалось среди тех трёх ослов, значит, где-то должен быть ещё осёл. А вот как найти трёх настоящих ослов, которых я превратил в коротышек? Это, пожалуй, трудней будет...

– Ничего! – строго сказала Кнопочка. – Будем ходить по городу, пока не найдём всех трёх.

– Как это – будем ходить по городу? – удивился Пёстренький. – Мы ведь решили завтра уехать.

– Придётся повременить с отъездом.

– Повременить? Эва! – закричал Пёстренький. – Мне здесь будут за шиворот холодную воду лить, а я ещё временить должен?

– Значит, по-твоему, лучше, если ветрогоны всех мучить будут, а Листик навсегда ослом останется? Ведь ему, кроме нас, никто не поможет. Ни у кого волшебной палочки нет, понимаешь?

– Ну ладно, – махнул рукой Пёстренький. – Поступайте как знаете, только не воображайте, что от меня так просто отделаетесь! Вы меня привезли сюда, вы и обратно должны отвезти!

– Отвезём, можешь не беспокоиться, – ответил Незнайка.

– Вот-вот! И высадите меня точно на том же месте, где взяли, иначе я не согласен! – заявил Пёстренький и пошёл спать.

ГЛАВА ДВАДЦАТЬ ДЕВЯТАЯ

Встреча со старыми друзьями

В эту ночь Незнайка долго не мог заснуть. Его снова начала донимать совесть.

«Я же не виноват, что так вышло, – оправдывался Незнайка, вертясь на постели с боку на бок. – Я не знал, что всё так плохо получится».

«А почему не знал? Ты должен был знать. Почему я всё знаю?» – твердила совесть.

«Ну, то – ты, а то – я. Будто не знаешь, что я – незнайка!»

«Не хитри, не хитри! – с насмешкой сказала совесть. – Ты всё понимаешь прекрасно, только прикидываешься дурачком – незнайкой».

«И вовсе я не прикидываюсь! Зачем мне прикидываться?»

«Сам знаешь зачем. Ведь с глупого и спросу меньше. Вот ты и прикинулся дурачком, чтоб тебе всё с рук сходило. Но меня, братец, не проведёшь! Я-то хорошо знаю, что ты не такой уж дурачок!»

«Нет, я дурачок!» – упрямо твердил Незнайка.

«Неправда! Ты и сам не считаешь себя глупым. На самом деле ты гораздо умней, чем кажешься. Я тебя давно раскусила, поэтому и не старайся меня обмануть – всё равно не поверю».

«Ну ладно! – нетерпеливо ответил Незнайка. – Дай мне поспать. Завтра я всё исправлю».

«Исправь, голубчик, пожалуйста! – сказала уже более ласковым голосом совесть. – Сам видишь, как всё нехорошо вышло. Из-за тебя столько коротышек напрасно мучится… В городе так плохо стало… А ведь как хорошо было, пока ты не появился тут со своей волшебной палочкой!»

«Ну ладно, ладно! Сказал: исправлю – значит, исправлю. Скоро всё опять хорошо будет».

Совесть убедилась, что проняла Незнайку как следует, и умолкла.

На следующее утро Кнопочка проснулась раньше всех и разбудила Незнайку и Пёстренького:

– Вставайте скорее, уже в зоопарк пора!

Незнайка быстро оделся и пошёл умываться, а Пёстренький одевался не спеша, стараясь провести время, чтобы как-нибудь обойтись без умывания. Однако Кнопочка разгадала его манёвры и заставила пойти умыться.

Наконец все были готовы и уже хотели выйти из дому, но тут кто-то постучал в дверь, и в комнату вошёл Кубик. На нём была какая-то смешная шапочка из голубой пластмассы с двумя длинными рожками, между которыми была натянута спиральная проволока; на ушах были радионаушники, а на груди висела плоская металлическая коробочка с торчащим рупором. Ещё одна такая же коробочка находилась у него на спине.

Незнайка, Кнопочка и Пёстренький очень обрадовались приходу Кубика и стали спрашивать, почему он так долго не приходил к ним. Кубик рассказал, что однажды он шёл по улице и его кто-то облил холодной водой, отчего он простудился и заболел. Всё это время ему пришлось пролежать в постели, но теперь он уже вполне здоров и может ходить.

– А что это у вас за шапочка с рожками и коробочки? – спросил Незнайка.

– Это новое изобретение – так называемый новейший усовершенствованный пешеходный радиолокатор, сокращённо – НУПРЛ. Теперь каждый должен иметь этот НУПРЛ для защиты от ветрогонов.

– Как же он действует? – заинтересовался Незнайка.

– Очень просто, – ответил Кубик. – Здесь впереди на коробочке имеется, как вы видите, радиорупор. Из этого рупора при ходьбе всё время излучаются радиоволны. Если впереди попадётся какое-нибудь препятствие в виде натянутой поперёк тротуара верёвки или проволоки, волны от этого препятствия отразятся и пойдут обратно. Здесь на шапочке между рожками натянута, как вы видите, спиральная антенна. Эта антенна улавливает отразившиеся от препятствия радиоволны, которые превращаются в электрические колебания, а электрические колебания попадают в наушники и, в свою очередь, превращаются в звуковые сигналы. Очень удобно, как видите... Как только впереди появится препятствие, вы в ту же секунду услышите сигнал об опасности. Особенно этот локатор полезен вечером или ночью, когда вы можете не разглядеть протянутую поперёк тротуара верёвку или какое другое препятствие.

– А на спине для чего рупор? – спросил Незнайка.

– А как же? Это же самое важное! – воскликнул Кубик. – Этот рупор посылает радиосигналы назад. Как только позади появится

ветрогон, чтобы дать вам щелчка или подзатыльника или облить вас водой, вы сейчас же услышите сигнал. Вот попробуйте.

Кубик снял с себя шапочку, наушники и обе коробочки и надел всё это устройство на Незнайку. Став в стороне, он протянул к переднему рупору руку и сказал:

– Представьте себе, что впереди появилось препятствие. Что вы слышите?

– Я слышу, будто что-то пищит, – ответил Незнайка.

– Совершенно верно. Вы слышите частые высокие звуковые сигналы: би-би-би! А теперь я буду подкрадываться к вам незаметно сзади...

Что вы слышите?

– Ага! – закричал Незнайка. – Снова пищит, но как будто немного потолще: бу-бу-бу!

– Правильно! На этот раз вы слышите низкие звуковые сигналы. Это делается для того, чтоб вы знали: впереди опасность или позади. Если услышите «би-би-би», то, значит, надо внимательней смотреть вперёд, а если «бу-бу-бу», то надо поскорей обернуться назад.

Кнопочка тоже заинтересовалась этим прибором, и аппарат от Незнайки перешёл к ней, а от неё – к Пёстренькому, который долго и сосредоточенно слушал сигналы, после чего сказал:

– Ну что ж, в том, что он пищит, ничего удивительного нет. Пищать – это и я умею. Удивительно только, откуда он знает, когда надо пищать «би-би-би», а когда — «бу-бу-бу»?

— Ну, это понятно, — ответил Кубик и принялся рассказывать всё сначала.

В это время снова послышался стук. Дверь отворилась, и в комнату протиснулись два каких-то толстеньких существа. На обоих были какие-то пухлые бочкообразные пальто с неуклюже торчащими в стороны рукавами, а на головах круглые зелёные шапки, вроде водолазных скафандров.

Приглядевшись, Незнайка узнал в этих странных фигурах Ниточку и Карасика.

— Да ведь это Ниточка и Карасик! — закричал он, обрадовавшись. — Во что это вы нарядились?

— Это новые прорезиненные, если можно так выразиться, надувные пальто и резиновые надувные шляпы, которые выпускает наша фабрика. Вот попробуйте ударьте меня палкой, извините за выражение, по голове, — сказал Карасик, протягивая Незнайке палку, которую держал в руке.

— Для чего же мне бить вас по голове палкой? — удивился Незнайка.

— Бейте, бейте, не бойтесь!

Незнайка в недоумении пожал плечами, взял палку и потихоньку ударил по голове Карасика.

— Да вы бейте крепче! Изо всех сил бейте, с размаху, если можно так выразиться! — закричал Карасик.

Незнайка размахнулся и ударил покрепче. Палка отскочила от головы, как от хорошо надутой автомобильной шины.

— Вот видите, а мне не больно ничуточки! — закричал, хохоча во всё горло, Карасик. — Теперь по спине бейте.

Незнайка ударил его палкой по спине.

— Видите — совсем не больно! — кричал, торжествуя, Карасик. — Я, если хотите, могу даже упасть и не ударюсь.

Карасик с размаху бросился на пол и тут же вскочил на ноги, как резиновый мячик.

– Для чего же всё это? – с недоумением спросил Незнайка.

– Будто не догадываетесь? Для защиты от ветрогонов, – ответил Карасик. – Пусть теперь какой-нибудь ветрогон попробует дать пинка или подзатыльника, пусть даже водой обольёт – мне ничего не страшно!

— Но ведь это очень некрасиво — в такой одежде ходить, — сказала Кнопочка.

— Некрасиво, потому что не модно, — ответил Карасик. — Вот когда станет модно, извините за выражение, то все будут говорить, что красиво. У нас уже во многих магазинах есть эти пальто и шляпы.

— В магазинах они, может быть, и есть, но на улице я ещё никого не видала в таком нелепом наряде, — сказала Кнопочка.

— Ничего, скоро увидите, — ответила Ниточка. — Иголочка нарочно велела нам нарядиться в эти пальто и шляпы и ходить по улицам. Сегодня мы походим, а завтра все побегут в магазины, чтобы одеться так же. Мы всегда прибегаем к такой уловке, когда выпускаем новый фасон одежды.

Ниточка и Карасик отправились ходить по улицам, а Кубик сказал:

— Вот до чего довели ветрогоны! По-моему, всё же лучше ходить с локатором, чем в этих пухлых пальто. Гораздо изящнее.

Тут снова раздался стук в дверь, и в комнату вскочил инженер Клёпка. Все так и ахнули, увидев его. Голова у него была забинтована. На обоих локтях и на коленках тоже были наложены белые повязки. На шее и подбородке были наклейки из пластыря.

— Что с вами? — испуганно спросила Кнопочка. — Вы попали в автомобильную катастрофу?

— Да... то есть нет... Или, верней сказать, да, — ответил Клёпка, подпрыгивая от нетерпения на месте. — Какой-то, понимаете ли, ветрогон отвинтил ночью у моей машины один пружинистый сапог. Утром я не заметил этого, сел и поехал. И вот когда автомобиль развил огромную скорость, мне понадобилось совершить прыжок. Если бы все четыре пружинистых сапога были на месте, то ничего страшного не случилось бы, но, так как с одного бока сапога недоставало, толчок с этой стороны получился слабее, машина перевернулась в воздухе, я вылетел из неё и шлёпнулся о мостовую. Ужас что было!

Вот посмотрите: лбом треснулся, подбородком, коленками и локтями…

– Чего только эти ветрогоны не делают! – сочувственно сказал Кубик. – Меня водой облили, у него сапог отвинтили!

– Просто нет от них никакого спасения! – подхватил Клёпка. – Раньше спокойно можно было оставить автомобиль на улице, а теперь, того и гляди, отвинтят что-нибудь, а то и вовсе угонят машину.

– Это как – угонят? – не понял Незнайка.

– Ну, уедут на вашей машине – и всё. Просто зверство какое-то! Не понимаю, куда смотрит милиция! Я бы этих ветрогонов всех под арест! Как только попался какой-нибудь в жёлтых брюках, так сейчас – в «холодильник», и пусть сидит, пока не исправится!

– Так нельзя, – возразил Кубик. – Вот Незнайка у нас тоже в жёлтых брюках. За что же его под арест?

– Ну, у Незнайки брюки нормальные, – ответил Клёпка. – А у ветрогонов широкие и не жёлтые, а зеленоватые.

– Чепуха это! – махнул рукой Кубик. – Любой коротышка может надеть жёлтые или зелёные брюки. От этого никто ветрогоном не сделается. Если хочешь знать, то теперь ветрогона и не отличишь от хорошего коротышки. Ветрогон оденется, как все, и в то же время потихоньку набезобразит, так что никто и не заметит, а если не набезобразит, то соврёт или обманет, наобещает с три короба и ничего не исполнит. Я вот обещал, например, Незнайке, Кнопочке и Пёстренькому показать дом архитектора Арбузика и до сих пор не показал, – значит, и я ветрогон, хотя и не в жёлтых брюках?

Кубик и Клёпка принялись спорить, кого можно считать ветрогоном, кого нельзя, а Незнайка сказал:

– Не надо спорить, друзья. Скоро всё равно никаких ветрогонов не будет.

– Это как то есть не будет? – удивился Клёпка.

– Очень просто. Скоро всё будет по-прежнему, вот увидите!

– Э! – пренебрежительно махнул рукой Клёпка. – Вы, видно, в газете статью профессора Козявкина прочитали. Это чепуха! Никогда не поверю, чтоб ослы могли в коротышек превращаться. До этого ещё не дошла наука... Кстати, хорошо, что напомнили о науке. Сейчас мы с вами поедем в Научный городок, я познакомлю вас с двумя учёными малышками – Фуксией и Селёдочкой. Фуксия – это наша знаменитая профессорша космографии. Она изобрела Зимнее солнце.

Мы сделаем, понимаете, ещё одно солнце и будем запускать на зиму в небо, чтоб зимой было так же тепло, как и летом.

– А какое оно, это солнце? – заинтересовался Незнайка.

– Вот она вам обо всём и расскажет. А Селёдочка изобрела ракету, в которой собирается полететь на Луну. Её уже начали строить, эту ракету, вы увидите! Если вы понравитесь Селёдочке, она вас с собой на Луну возьмёт.

– Этого ещё недоставало! – возмутился Кубик. – Они с тобой никуда сегодня не поедут! Сегодня они поедут со мной на улицу Творчества. Я давно обещал им показать дома Арбузика.

– Очень им нужен твой Арбузик! Они наукой интересуются, а не Арбузиком.

– Напрасно вы спорите, – сказала Кнопочка. – Мы не можем поехать ни с тем, ни с другим, потому что нам в зоопарк надо.

– Вот и чудесно! – ответил Кубик. – Сначала посмотрите дома, а потом в зоопарк – это ведь рядом... Ну, пожалуйста! – взмолился он. – Вы ведь обещали мне!

– Что ж делать? Это правда, мы обещали, – сказала Кнопочка. – Ну, поедем, если это на самом деле рядом.

– Рядом, рядом, можете не сомневаться! – заговорил, вскакивая со стула, Клёпка. – Поедем все вместе, я отвезу вас на своей машине.

Через две или три минуты все уже были на улице. Пёстренький увидел машину Клёпки, покосился на её хозяина, перевязанного бинтами, и сказал:

— Не стоит на этой машина ехать. Она всё время прыгает как блоха, — того и гляди, перевернётся, а мне бы не хотелось ходить забинтованным с ног до головы, словно шелковичный червяк.

— Успокойтесь, — ответил Клёпка. — Моя машина больше прыгать не может. Поскольку один сапог у меня стащили, пришлось и остальные три сапога отвинтить.

Пёстренький успокоился, но всё же ради предосторожности сел позади, рядом с Незнайкой и Кнопочкой, а Кубик сел впереди, рядом с Клёпкой.

По своему обыкновению, Клёпка включил сразу четвёртую скорость, и машина помчалась так быстро, что у всех захватило дух.

У Кубика замелькало в глазах, и он долгое время не мог разглядеть, что они едут совсем не в ту сторону, куда надо было. Постепенно он, однако, пришёл в себя и, оглядевшись по сторонам, сказал:

— Слушай, Клёпка, куда же мы едем?

— Как — куда? Куда надо, туда и едем.

— А куда нам, по-твоему, надо?

— В Научный городок.

— Что? — закричал Кубик. — Это безобразие! Мы ведь договорились на улицу Творчества. Поворачивай сейчас же обратно!

— Зачем обратно, если мы сейчас уже скоро доедем?

— А я говорю — обратно!

Кубик вцепился в рулевое колесо и стал поворачивать автомобиль, но Клёпка не давал ему повернуть. Автомобиль начал описывать по мостовой зигзаги, вылетел на тротуар и, наверно, врезался бы в газетный киоск, если бы Клёпка не успел включить вовремя тормоз.

Автомобиль остановился так резко, что все чуть не разбили себе носы. Некоторое время Кубик и Клёпка ошалело смотрели друг на друга. Наконец Кубик выпустил из рук рулевое колесо и сказал:

– Прости меня, Клёпка! Я не должен был хвататься за руль. Мы ведь могли разбиться.

– Нет, это я должен просить прощения, – ответил Клёпка. – И вы меня, братцы, простите! Я ведь обманным путём хотел завезти вас не туда, куда надо. Мне очень хотелось показать вам Научный городок.

– Ну ничего, – ответил Незнайка. – Не будем друг на друга сердиться и поедем потихоньку обратно.

Клёпка снова включил мотор, повернул машину и потихоньку поехал обратно. От стыда он низко опустил голову и так громко вздыхал, что Незнайке стало жалко его. Чтоб отвлечь Клёпку от мрачных мыслей, Незнайка спросил:

– Интересно, на чём работает двигатель этой машины – на газированной воде или, может быть, на атомной энергии?

– Двигатель работает не на газированной воде и не на атомной энергии, а на биопластмассе, – ответил Клёпка.

– Что это ещё за биопластмасса такая? – спросил Незнайка.

– Биопластмасса – это как бы живая пластмасса. На самом-то деле она, конечно, не живая, но если сделать из неё стержень и пропускать через него электричество, то стержень начнёт как бы дёргаться, сокращаться, то есть становиться короче, как мускул. Если вам интересно, я могу показать.

– Да-да, – ответил Незнайка. – Очень интересно!

Клёпка остановил машину, взял гаечный ключ и отвинтил несколько болтов, после чего они с Кубиком ухватились за кузов – один спереди, другой сзади – и сняли его с колёс. Внизу стали видны металлическая рама и рычаг, приводивший во вращение колёса.

— Смотрите, — сказал Клёпка. — Здесь к рычагу присоединён стержень из биопластмассы. При включении тока стержень сокращается и тянет рычаг к себе, благодаря чему колёса совершают пол-оборота, но, как только ток выключается, стержень опять удлиняется и толкает рычаг, который заставляет колёса совершить вторую половину оборота. Так и происходит вращение. Надо только, чтобы ток всё время прерывался, но стержень, сокращаясь, сам каждый раз включает и выключает ток.

Вокруг разобранной автомашины моментально собралась толпа коротышек. Каждому было интересно взглянуть на устройство механизма.

— А откуда берётся ток? — спросил Незнайка.

— Ток даёт маленькая электрическая батарейка.

Клёпка подошёл к кузову и показал маленькую батарейку от карманного фонаря.

— Неужели такая крошечная батарейка может двигать целый автомобиль? — удивился Незнайка.

— Вы не поняли,— начал объяснять Незнайке один из остановившихся коротышек. — Ток от батарейки только возбуждает биопластмассу, то есть заставляет её сокращаться. Поэтому машину приводит в движение не энергия батарейки, а энергия, накопленная в биопластмассе. Такие двигатели из биопластмассы приводят у нас на фабриках в движение станки и прочие механизмы, и тока от одной маленькой батарейки достаточно, чтоб работала вся фабрика.

— А откуда берётся биопластмасса?— спросила Кнопочка.

— Растёт на болоте. В ней запасается солнечная энергия, как в деревьях и вообще во всех растениях. При пропускании через биопластмассу тока накопившаяся в ней световая энергия превращается в механическую.

— Слушайте! — сказал Пёстренький, который до сих пор внимательно разглядывал устройство машины. — Я вот всё время смотрю и не вижу у этой машины двигателя. А разве может так быть, чтобы не было двигателя?

– Конечно, не может, – ответил Клёпка. – Но вот этот стержень из биопластмассы и является у машины двигателем.

– Ну, раз так, то тут нечему удивляться, – сказал Пёстренький. – Наоборот, было бы удивительно, если бы автомобиль ездил без двигателя.

Все вокруг засмеялись. Толпа понемногу увеличивалась. Сзади всё время подходили новые пешеходы. Кто-то из прохожих спросил:

– Что здесь случилось?

– Может быть, авария? – сказал другой.

Третий услышал слово «авария» и закричал:

– Братцы, авария!

– Гляди-ка, братцы, как машина расшиблась! – закричал четвёртый. – Кузов на сторону своротило, одни колёсья остались!

– А шофёр, посмотрите, как искалечился! Весь в бинтах! – сказал кто-то, показывая пальцем на Клёпку.

Как только разнеслась весть об аварии, толпа начала расти вдвое быстрей. Клёпка увидел, что дело принимает нежелательный оборот, и решил поскорей уехать. С помощью Кубика он установил кузов на место. Все залезли в машину. Клёпка нажал педаль прерывателя, но машина почему-то не двинулась.

— Что за история! — проворчал Клёпка, вертясь на месте и дёргая за рычаги. — Тока почему-то нет... Ах, чтоб тебя! Батарейка исчезла! Должно быть, отвинтил кто-нибудь...

— А может, она на землю упала? — сказал Кубик.

Все вылезли из машины и стали искать вокруг батарейку.

— Только что ведь тут была! — горячился Клёпка. — Помните, я показывал.

Толпа между тем запрудила всю улицу. Движение транспорта остановилось. Сквозь толпу коротышек к машине пробился милиционер на гусеничном мотоцикле.

— Что случилось? — закричал он сердито. — Почему толпу собираете?

— А её никто и не собирает! — огрызнулся Клёпка.

— Почему не проезжаете?

— Вот сядьте за руль да попробуйте проехать, когда батарейки нет! — с насмешкой ответил Клёпка и, повернувшись к толпе, закричал: —Братцы, может, кто-нибудь по ошибке отвинтил батарейку и сунул в карман?

В толпе раздался смех.

Милиционер неодобрительно покачал головой и сказал Клёпке:

— Вам, дорогой, судя по вашему виду, следовало бы находиться в больнице, а вы на свободе разгуливаете.

На что Клёпка ответил:

— Поговори у меня ещё тут!

— Ладно, — сказал милиционер. — Садитесь в машину, я вас в милицию отвезу — там разберём, что к чему, а здесь не нужно собирать толпу.

Кубик подошёл к Незнайке и сказал:

— Вы поезжайте в зоопарк на автобусе или на такси, а я с Клёпкой поеду в милицию и всё объясню. Боюсь, как бы Клёпка без меня там не наговорил чего-нибудь лишнего. Он не любит почему-то милиционеров.

Клёпка и Кубик уселись обратно в машину. Милиционер поставил гусеничный мотоцикл впереди и, зацепив машину крючком, потащил её на буксире в милицию.

ГЛАВА ТРИДЦАТАЯ

Как Незнайка потерял волшебную палочку

Когда Незнайка и его спутники прибыли в зоопарк, день уже был в полном разгаре. Всё утро у них ушло на разговоры и на поездку с Клёпкой, после чего они сильно проголодались и пошли обедать в столовую. Свои поиски в зоопарке друзья решили начать с того места, где обнаружили в первый раз трёх ослов. Однако на этот раз они никого не увидели за оградой. Дверь сарайчика была открыта настежь. На всякий случай Незнайка перелез через загородку и, пробравшись к сараю, заглянул внутрь. В сарае было пусто.

Набравшись терпения, путешественники принялись бродить по зоопарку, заглядывая во все уголки. На глаза им попадались самые различные животные, но осла так и не удалось встретить. Обойдя

всё вокруг, наши друзья вернулись к тому же месту, откуда начали свои поиски, и увидели за оградой малышку в беленьком фартуке, которая выметала из сарая метёлкой мусор.

– Скажите, пожалуйста, вы не знаете, где здесь осёл? – обратился Незнайка к уборщице.

Малышка перестала мести и, опершись на метёлку, спросила:

– Какой осёл?

– Ну, такой, обыкновенный, с копытцами...

– Ах, такой! А зачем вам осёл понадобился? Осёл – он и есть осёл. Чего в нём интересного?

– Ну, нам хотелось на него посмотреть. Весь зоопарк обошли, а осла не видали.

– Гм! – сказала уборщица. – Были у нас тут три осла, да все трое куда-то делись. Тут болтают разную чепуху вообще, да вы не верьте! Будто колдовство, что ли, какое... Чушь это! Никакого колдовства нету! Просто их увели эти самые... стрекулисты... то есть... тьфу!.. ветрогоны, а не стрекулисты. Никакого спасения от этих ветрогонов нет! Теперь в городе такое шалопайство пошло, что и-и! Слона из клетки утащат – и то не заметишь!

– Ну, слона-то небось не утащат, – сказал Незнайка.

– Почему не утащат? Утащат! – махнула рукой уборщица. – Нам и то велели присматривать тут покрепче. Мало ли что... Здесь и звери хищные, и ядовитые гады. Они тебя и разорвут и ужалят. А что, если какой-нибудь ветрогон змею выпустит, а? Вокруг-то ведь город! То-то!

– А где тот осёл, которого на улице нашли? – спросил Незнайка. – Когда-то в газетах писали, что на улице нашли беспризорного осла и отвели в зоопарк.

– Ах, этот-то! – заулыбалась уборщица. – Этого осла здесь и не было. Ошибка вышла. Его не в зоопарк сдали, а в цирк. В газете-то по ошибке напечатали, что в зоопарк, а мы его тут отродясь не видывали.

– Значит, в цирке есть этот осёл? – с надеждой спросила Кнопочка.

– Есть, есть, а то как же! Я сама его третьего дня видела, когда в цирке была. Шустренький такой ослик, право слово, только что не учёный! Он у них там тележку возит, да ещё клоуны на нём ездят. Ну, ничего, со временем и его каким-нибудь штукам обучат.

Путешественники попрощались с уборщицей и отошли в сторонку.

– Вот удача! – зашептал, сияя от счастья, Незнайка. – Значит, Листик находится в цирке. А мы его тут искали! Ну, ничего. Сейчас пойдём в цирк, а завтра начнём разыскивать этих трёх ослов-ветрогонов. Я их сразу узнаю, как только встречу. У них у всех такие маленькие веснушчатые носы.

Незнайка и его спутники направились к выходу. Проходя мимо обезьяньих клеток, они остановились, чтобы взглянуть на обезьян. Одна обезьяна была очень забавная, и Незнайке пришло в голову её подразнить. Он взял волшебную палочку и, просунув её сквозь прутья клетки, старался ткнуть обезьяну в морду. Обезьяна сердито нахмурилась, потом как схватит палочку и вырвала у Незнайки из рук! Незнайка оторопел.

– Смотрите, что она сделала... – пролепетал он упавшим голосом.

– Что это? Ты отдал обезьяне палочку? – закричала Кнопочка.

– Я не давал, а она взяла, – развёл Незнайка руками.

– Если бы ты не тыкал ей палочкой в морду, она бы и не взяла!

– Ничего! Сейчас отниму.

Незнайка просунул сквозь прутья руку, стараясь отнять у обезьяны волшебную палочку, но обезьяна отодвинулась от решётки подальше, и он никак не мог до неё дотянуться.

– Ишь ты, ведьма! – проворчал Незнайка. – Отдай сюда палочку, тебе говорят.

Но обезьяна и не думала выполнять приказание Незнайки. Вместо этого она принялась прыгать по всей клетке, ни на минуту не выпуская палочку из рук. Потом она вскочила на висевшие посреди клет-

ки качели и принялась раскачиваться, всё время поглядывая искоса на Незнайку, словно издевалась над ним.

– Ехидная тварь! Отдай палочку! – ругался Незнайка. – Ну, ничего, ей всё равно надоест с палочкой носиться, и она её бросит.

День между тем кончился. Послышались свистки сторожей, предупреждавшие посетителей, что зоопарк скоро закроется. Публика потянулась к выходу. Скоро вокруг было пусто, и только Незнайка, Кнопочка и Пёстренький толклись возле обезьяньей клетки. Обезьяне наконец надоело таскать в руках палочку, и она её бросила. Палочка осталась лежать на полу в самом дальнем углу клетки.

– Надо как-нибудь в клетку залезть, – сказал Незнайка.

О том, чтоб пролезть сквозь прутья, нечего было думать, но, присмотревшись, Незнайка заметил, что в клетке имелась решётчатая дверь, закрытая на засов.

Оглядевшись по сторонам и заметив, что поблизости никого нет, Незнайка залез на барьер, которым была окружена клетка, вытащил закреплявший задвижку болт и принялся открывать засов. Это оказалось трудней, чем он полагал, так как засов ходил туго и никак не хотел двигаться. Незнайка вцепился в задвижку обеими руками и принялся дёргать с такой силой, что затряслась клетка. Наконец засов начал поддаваться, но в это время из-за угла показался сторож с метлой и закричал:

– А ты что же это, сатана, делаешь, а? Обезьяну выпустить хочешь? Вот я тебе!

Незнайка поспешил соскочить с барьера, но сторож успел схватить его за шиворот.

– Там моя палочка! – захныкал Незнайка, стараясь вырваться.

Но сторож крепко держал его.

– Ты у меня узнаешь палочку! Вот сведу тебя в милицию – там тебе покажут палочку! – пригрозил он и потащил Незнайку к выходу.

Кнопочка и Пёстренький бежали впереди по дорожке и со страхом оглядывались на сторожа.

– Честное слово, там моя палочка! Обезьяна отняла у меня палочку, – твердил Незнайка.

– А ты небось дразнил её этой палочкой? Небось тыкал ей палочкой в морду, а?

Сторож вышел с Незнайкой на улицу и принялся озираться по сторонам – должно быть, искал милиционера.

– Я больше не буду! Честное слово, не буду! – взмолился Незнайка.

– А, то-то! – воскликнул сторож, отпуская Незнайку. – Ну иди и больше не ветрогонствуй здесь. В другой раз не отделаешься так просто!

Сказав это, сторож отпустил Незнайку, после чего закрыл на замок ворота и ушёл. Кнопочка и Пёстренький подошли к Незнайке.

– Почему же ты не сказал сторожу, что это палочка не простая, а волшебная? Наверно, он думает, что эта какая-нибудь обыкновенная палка, – сказал Пёстренький.

– А ты понимаешь, что говоришь? – сердито ответил Незнайка. – Если сторож узнает, что это волшебная палочка, он заберёт её. Станет он отдавать нам волшебную палочку! А вы вот скажите-ка лучше, зачем оба из зоопарка вылезли? Вам надо было остаться там и постараться достать волшебную палочку из клетки. Теперь вот ворота закрыты... Как пролезешь туда?

– Недоставало, чтоб я ещё за палочкой в клетку лазила! – надув обиженно губки, ответила Кнопочка.

– Ну, если не ты, так Пёстренький мог полезть.

– Нет, я тоже не хочу в клетку, – ответил Пёстренький. – Да и зачем нам палочка? Здесь и без волшебной палочки есть всё, чего пожелаешь. Есть хочешь – пожалуйста. В кино или театр – пожалуйста. На автомобиле кататься – катайся хоть весь день, пока голова не закружится. Даже прыгать и летать на автомобиле можно без всякого волшебства.

– Эх ты, дурень! – с раздражением ответил Незнайка. – Да разве волшебная палочка нужна нам, чтоб на автомобиле кататься? Нам нужно Листика выручить из беды и от ветрогонов освободить город. Неужели все должны из-за этих ветрогонов мучиться?

– А, ну тогда это конечно, – согласился Пёстренький.

– Теперь у нас будет такой план, – сказал Незнайка. – Подождём, когда стемнеет, а тогда полезем через забор. В темноте можно будет забраться в клетку, никто и не увидит.

– Ну, с меня хватит! – сказала Кнопочка. – Я уезжаю в гостиницу.

– Отступаешь перед трудностями, значит? – спросил Незнайка.

– Да, отступаю. Я не могу по заборам лазить, – решительно ответила Кнопочка.

– Значит, по-твоему, Листик может ослом оставаться, а я ничего делать не должен?

– Я чувствую, что ты тут ещё наделаешь такого, что и не расхлебаешь. Было бы лучше, если бы ты совсем ничего не делал.

С этими словами Кнопочка повернулась и пошла к автобусной остановке.

– Пусть она идёт, Пёстренький, а ты останься, – сказал Незнайка. – Ты мне можешь понадобиться. Здесь забор очень высокий, ты меня подсаживать будешь. Пойдём дальше – может быть, там перелезть легче.

Они пошли вдоль забора и, дойдя до угла, свернули в переулок. Здесь действительно забор был немного пониже.

– Подождём, когда стемнеет, – сказал Незнайка.

Они остановились под забором и стали ждать. Небо постепенно потемнело. На нём стали видны звёзды. Над крышами домов поднялась оранжевая, как большой апельсин, луна.

– Теперь пора, – сказал, озираясь по сторонам, Незнайка. – Подсаживай меня!

Пёстренький стал подталкивать его снизу. Незнайка вскарабкался на забор и уселся на нём верхом.

– Теперь ты лезь, – прошептал он, протягивая Пёстренькому руку.

– Может быть, я лучше подожду тебя здесь? – сказал Пёстренький.

– Нет, ты мне там понадобишься. Будешь караулить возле клетки, чтоб не подошёл сторож.

Пёстренький вскарабкался с помощью Незнайки на забор, после чего они оба соскочили с другой стороны и угодили прямо на дно сухой канавы.

– Послушай, я в какую-то яму скатился! – захныкал Пёстренький.

— Ч-ш-ш! — зашипел на него Незнайка. — Сиди тихо!

Некоторое время они сидели затаив дыхание и напряжённо прислушивались. Вокруг было тихо.

— Ничего, — сказал Незнайка. — Кажется, никто не слышал. Пойдём потихоньку.

Они вылезли из канавы и стали пробираться вперёд среди зарослей травы и цветов. Незнайка ступал неслышно, как кошка, а у Пёстренького всё время под ногами что-то трещало.

— Тише ты! — шипел Незнайка.

Неожиданно послышался громкий рёв. Пёстренький остановился и даже присел от страха.

— Что это? — пролепетал он.

Рёв сделался громче. От испуга у Пёстренького зашевелились на голове волосы, а по спине побежали мурашки.

— Это, наверно, лев, — догадался Незнайка.

Рёв повторился снова и перешёл в какое-то мощное, наводящее на сердце тоску, кровожадное рыкание. И сейчас же вслед за этим кто-то затявкал, заскулил, послышалось протяжное завывание волка, пронзительно закричала гиена. Откуда-то донеслось сонное утиное кряканье, где-то сверху закаркала ворона. Весь зоопарк переполошился и долго не мог успокоиться. Пёстренький понемногу пришёл в себя.

— А почему лев ревёт? — спросил он.

— Не знаю. Наверно, кушать хочет, — сказал Незнайка.

— А нас он не может скушать?

— Не бойся! Он же ведь в клетке сидит.

— Я и не боюсь, — ответил Пёстренький. — Просто на всякий случай спросил.

Постепенно вокруг всё стихло, но луна скрылась за тучи и стало совсем темно. Впереди только дорожка белела. Незнайка пошёл по дорожке. Пёстренький шагал за ним, стараясь не отставать.

— Куда мы идём? — с беспокойством спрашивал Пёстренький.

— Надо отыскать ослиную загородку, а обезьяньи клетки там рядом, — отвечал Незнайка.

Скоро по обеим сторонам дорожки стали попадаться клетки. За решётками в темноте звери не были видны, но Пёстренькому всё время казалось, что из-за прутьев вот-вот высунется чья-нибудь когтистая лапа и вцепится ему в спину. Поэтому он пугливо оглядывался и старался держаться от клеток подальше. Наконец дорожка упёрлась в решётку, за которой был водоём.

– Мы куда-то не туда вышли... – сказал Незнайка.

Из-за решётки доносилось какое-то ленивое посапыванье, похрюкиванье, чавканье и хлюпанье. Может быть, это просто вода плескалась, но, возможно, эти звуки производило какое-нибудь водяное животное, вроде бегемота.

Друзья прошли немного назад и свернули на боковую дорожку.

– Что такое? – бормотал Незнайка, озабоченно вглядываясь в темноту. – Никак не могу угадать, где мы. Ночью всё совсем не такое, как днём.

Они долго плутали по парку, наконец подошли к большой клетке, которая показалась Незнайке знакомой.

– По-моему, мы к слону вышли, – сказал Незнайка. – Значит, теперь уж близко.

Пройдя дальше, они очутились возле невысокой решётчатой загородки, за которой виднелся сарай.

– Вот она, ослиная загородка, видишь? – обрадовался Незнайка. – Всё правильно!

Свернув в сторону, они приблизились к ряду клеток, вдоль которых тянулся деревянный барьер. Подойдя к крайней угловой клетке, Незнайка сказал:

– Вот она!.. Ты, Пёстренький, стой здесь и поглядывай по сторонам. Если увидишь кого-нибудь, свистни.

– Хорошо, – кивнул головой Пёстренький.

Незнайка вскарабкался на барьер, прижался щекой к решётке и стал глядеть в клетку, напряжённо прислушиваясь.

– Ну, что ты там видишь? – спросил Пёстренький.

– Тише ты! – окрысился на него Незнайка. – Совсем ничего не вижу... Только вроде сопит кто-то. Наверно, обезьяна... Ну ладно.

Он нащупал в темноте дверь, освободил болт и стал открывать засов. На этот раз засов поддался легко. Отодвинув его, Незнайка потянул дверь. Она отворилась со скрипом.

– Э-э! – с досадой прошипел Незнайка и погрозил двери кулаком. – Скрипит тут ещё!

Некоторое время он насторожённо прислушивался, но, убедившись, что вокруг было тихо, вошёл осторожно в клетку и, опустившись на четвереньки, стал шарить по полу руками. Постепенно он продвигался в клетку всё глубже, дополз до стены и повернул в другую сторону. Неожиданно впереди послышалось глухое ворчание. Незнайка так и застыл, стоя на четвереньках. Некоторое время он изо всех сил вглядывался в темноту. Перед его глазами ворочалось что-то большое, чёрное. В этот момент из-за туч выглянула луна и осветила лежавшего посреди клетки льва. Лев поднял свою лохматую голову и, лениво помаргивая, смотрел в упор на Незнайку.

Не успев даже испугаться как следует, Незнайка дал задний ход, то есть быстро попятился на четвереньках обратно. Не спуская глаз со льва, он выпрямился и приготовился прыгнуть. Увидев это, лев фыркнул и, поднявшись на лапы, шагнул к Незнайке. Незнайка, словно молния, метнулся к открытой двери и вылетел из клетки, будто его вынесло ветром. Успев сказать Пёстренькому только одно слово «лев», он бросился бежать без оглядки.

У Пёстренького душа ушла в пятки. Одурев от страха, он бросился за Незнайкой. Так они оба бежали не разбирая дороги, пока перед ними не возник забор. Незнайка мигом взлетел на него. Пёстренький полез за ним и схватил Незнайку за штаны. Незнайка вообразил, что это его уже лев за ногу хватает, и рванулся изо всех сил. Неожиданно доска, за которую он держался, оторвалась от забора. Не выпуская доски из рук, он упал прямо на Пёстренького, и они оба покатились на землю. Позади них слышались какие-то крики и свистки сторожей. Отшвырнув от себя доску, Незнайка пролез в образовавшуюся в заборе щель. Пёстренький моментально нырнул за ним, и они стремглав помчались по улице. Незнайка бежал впереди, а позади него, словно чёрная тень, мчался Пёстренький. Он тяжело пыхтел и отдувался, а Незнайке казалось, что это лев позади пыхтит.

ГЛАВА ТРИДЦАТЬ ПЕРВАЯ

Встреча с волшебником

Когда Кнопочка вернулась в гостиницу, она тут же начала жалеть, что не осталась с Незнайкой и Пёстреньким.

– Как бы они там не натворили беды без меня... Как бы не случилось чего-нибудь, – говорила она.

Без них ей было немножко скучно. Для того чтоб развеселиться, Кнопочка включила телевизор. По телевидению выступал в это время какой-то учёный коротышка в очках и читал длинный и скучный доклад о ветрогонах.

– Как будто передавать им уже больше нечего! – с досадой сказала Кнопочка.

Выключив телевизор, она принялась шагать по комнате из угла в угол, то и дело поглядывая на часы.

– Поеду обратно в зоопарк! – сказала она, потеряв терпение, но тут же отбросила эту мысль. – А как я в зоопарк попаду? Не могу же я, в самом деле, через забор лезть!.. Ну хорошо же, пусть они только вернутся! Я покажу им, как волновать меня!

Время шло, а Незнайка и Пёстренький не появлялись. Кнопочка уже не знала, что думать, и начала воображать разные ужасы. Ей казалось, что Незнайку и Пёстренького поймал сторож и отправил в милицию. С каждой минутой тревога её росла.

Скоро Кнопочка не находила себе места от беспокойства. Наступила полночь. Часы пробили двенадцать.

– Теперь ясно, что с ними что-то случилось, – сказала Кнопочка.

Она уже хотела бежать в зоопарк, но дверь в это время открылась, и на пороге появились Незнайка с Пёстреньким. У обоих были взлохмачены волосы, глаза дико блуждали; у Пёстренького был оцарапан нос, а лицо испачкалось сверх обычной меры.

– Что ты там ещё натворил, Незнайка? – сердито подступила к нему Кнопочка. – Где вы пропадали всё время?

– Ничего, Кнопочка, не беспокойся, – ответил Незнайка. – Всё будет хорошо, вот увидишь, только ты не сердись. Я, Кнопочка, льва на свободу выпустил.

– Какого льва? – испугалась Кнопочка.

– Ну, того, который в клетке сидел. Я по ошибке в клетку со львом попал.

Кнопочка пришла в ужас.

– Горе мне с тобой! – закричала она. – То ты с ослами фокусы вытворял, а теперь за львов принялся! Чем это кончится?

– Ты не волнуйся, Кнопочка. Кончится хорошо. Завтра я утром пойду и всё сделаю как надо. Утром будет светло, и я уж не перепутаю. Я всё исправлю, вот увидишь!

– Ты уж исправишь! Лучше оставь всё это. Если хочешь знать, я теперь даже рада, что у тебя волшебной палочки нет. Дай тебе палочку, так ты тут ещё землетрясение устроишь! Завтра уедем домой, и всё. Ни минуты не хочу здесь оставаться больше!

– А на чём ты уедешь? Я ведь ещё не всё рассказал.

– Что ещё? – испугалась Кнопочка.

– У нас автомобиль угнали.

– Этого ещё недоставало! – воскликнула Кнопочка. – На чём же мы домой поедем?

– А я о чём говорю? Я об этом и говорю. Достанем палочку – будет у нас и автомобиль; не достанем – и автомобиля не будет.

На следующее утро Кнопочка проснулась, по обыкновению, рано, но когда пошла разбудить Незнайку, то увидела, что его нет в постели. Пёстренький ещё спал. Она принялась будить его:

– Что это ещё такое, Пёстренький? Где Незнайка?

– А его разве нет? – спросил, просыпаясь, Пёстренький.

– Значит, нет, раз я спрашиваю.

– Наверно, в зоопарк удрал, – сказал Пёстренький.

– Ну-ка, собирайся быстренько, и поедем, – сказала Кнопочка.

– Куда поедем?

– Ну, в зоопарк, конечно.

– Так ведь там лев!

– Льва, наверно, уже давно поймали.

Через полчаса Кнопочка и Пёстренький уже были у входа в зоопарк. Войдя в калитку, они быстро зашагали по дорожке, Пёстренький держался позади Кнопочки и пугливо оглядывался по сторонам. Ему всё время казалось, что откуда-нибудь вот-вот выскочит лев и бросится на него. Ещё издали Кнопочка и Пёстренький увидели обезьянью клетку и Незнайку, притаившегося за углом. В клетке была уборщица. Она подметала метёлкой пол. Кнопочка подкралась к Незнайке сзади.

– Ты что здесь делаешь? – спросила она.

– Тише! – замахал на неё Незнайка руками. – Волшебная палочка здесь! Вон, видишь, она так и лежит на полу, где её вчера обезьяна бросила. Сейчас уборщица подметёт пол, а палочку, может быть, выбросит из клетки, – тогда мы её возьмём, и всё будет в порядке.

Тем временем уборщица кончила мести пол, собрала мусор в ведро, а палочку подняла и тоже сунула в ведро.

– Ничего, – успокоил Незнайка Кнопочку. – Мы сейчас пойдём за ней и проследим, куда она выбросит мусор.

Однако уборщица никуда не понесла мусор, а стала убирать в соседней клетке. Так она переходила из клетки в клетку, и ведро всё больше наполнялось мусором. Наконец она окончила уборку и высыпала всё, что было в ведре, в мусорный ящик, который стоял у забора позади клеток. Незнайка подождал, когда уборщица скроется, и сказал Кнопочке и Пёстренькому:

– Стойте здесь и смотрите, чтоб никто не подошёл.

А сам подбежал к ящику, открыл крышку и полез внутрь. Некоторое время из ящика доносилось приглушённое кряхтенье и сопение. Наконец из-под крышки высунулась голова Незнайки.

– Вот она, волшебная палочка! – сказал он, торжествующе улыбаясь.

От радости Кнопочка даже подпрыгнула.

– Браво! – сказала она и потихоньку захлопала в ладоши.

Незнайка вылез из ящика и зашагал по дорожке, бережно неся перед собой в руках палочку.

– Теперь я буду её беречь! – говорил он. – Теперь её у меня никто не отнимет!

Следом за Незнайкой шагали Кнопочка и Пёстренький. Они дружно держались за руки. Лица у обоих расплывались в улыбках.

– Теперь мы можем поехать в цирк и выручить Листика,– сказала Кнопочка.

– Ах, правда! Я и забыл про Листика! – воскликнул Незнайка. – Ну, скорей в цирк!

Он повернулся и побежал к выходу. Кнопочка и Пёстренький едва поспевали за ним.

Через пять минут все трое уже сидели в полосатом кнопочном такси. Незнайка нажал кнопку с надписью «Цирк», и машина помчалась по улицам. Не успели они оглянуться, как уже были в цирке.

На арене они увидели несколько акробатов, которые прыгали и кувыркались – должно быть, готовились к вечернему представлению. Незнайке и Пёстренькому очень хотелось на них посмотреть, но Кнопочка сказала:

– Разве мы для этого сюда пришли? После посмотрим.

– Ладно, после, – согласился Незнайка.

Пробравшись между рядами стульев, наши путешественники вошли в дверь для артистов и попали в служебное помещение. Это был длинный сарай с цементным полом. Вдоль стен стояли клетки с различными животными. В одной из клеток был лев.

– Опять лев! – испуганно сказал Пёстренький. – Наверно, снова какая-нибудь чепуха выйдет...

В конце помещения находились лошадиные стойла. Подойдя ближе, путешественники увидели, что среди лошадей был и осёл. Он стоял в маленьком стойле, привязанный за уздечку к кольцу, которое было вделано в стену. Повернув назад голову, ослик грустно взглянул на Незнайку.

– Это он! – прошептал Незнайка. – Я узнаю его.

Опасаясь, как бы ему не досталось от Листика за то, что он превратил его в осла, Незнайка отошёл от него подальше и, приготовившись в случае надобности поскорее удрать, взмахнул палочкой.

– Хочу, чтоб осёл превратился в Листика! – негромко сказал он.

Однако никакого превращения не произошло. Незнайка снова замахал палочкой и сказал громче:

– Хочу, чтоб этот осёл превратился обратно в малыша Листика!

Превращения и на этот раз не произошло,

– Что же это такое? – взволновался Незнайка.

Он изо всех сил принялся трясти в воздухе палочкой и выкрикивал свои заклинания, но осёл оставался ослом и не хотел превращаться в Листика. В это время к ним подошёл цирковой сторож.

– А вы что здесь делаете? – спросил он.

Незнайка растерялся и не знал, что сказать, но на выручку пришёл Пёстренький.

– Мы пришли посмотреть представление, – сказал он.

– А на представление надо приходить вечером.

Сторож выпроводил их на улицу и закрыл дверь.

– Что же это такое? – спросил, недоумевая, Незнайка. – Почему палочка перестала действовать? Ну-ка, ещё проверю.

Он снова взмахнул палочкой и сказал:

– Хочу, чтоб было две порции мороженого!

– Три порции! – поправил Пёстренький.

– Хочу, чтоб было три порции мороженого! – повторил Незнайка.

Однако, сколько он ни повторял эти слова, даже одной порции мороженого не появилось.

– Послушай, Незнайка, ты, наверно, не ту палочку взял, – сказал Пёстренький.

– Как – не ту? – удивился Незнайка.

– Ну, та ведь была волшебная, а эта совсем не волшебная.

– А где же, по-твоему, волшебная?

– А волшебная так и осталась в мусорном ящике.

– Ах я разиня! – закричал Незнайка, хватаясь за голову. – Ну-ка, быстро обратно в зоопарк!

Прошло несколько минут, и наши искатели приключений опять мчались по зоопарку. Подбежав к ящику, Незнайка бросился на него, как тигр, опрокинул его вверх дном и высыпал весь мусор на землю. Все трое принялись рыться в мусоре, но никто не нашёл другой палочки.

– Вот видишь! – сказал Незнайка Пёстренькому. – Никакой другой палочки нет. Значит, эта и есть волшебная.

Отойдя подальше от мусорной кучи, Незнайка сел на лавочку. Он то и дело тряс в воздухе палочкой и что-то бормотал про себя.

– А ну-ка, дай я попробую, – попросил Пёстренький, подсаживаясь к Незнайке.

Он взял палочку, взмахнул ею и сказал:

– Хочу бутерброд с вареньем!.. Хочу мороженого!.. Хочу лапши с маслом!.. Столик, накройся!.. Тьфу!

Так как ни одно его желание не исполнилось, он сунул палочку Незнайке в руки и сказал:

— Тебя, наверно, надул волшебник. Дал какую-то никудышную палочку. Из неё уже всё волшебство вышло.

— Да, — проворчал Незнайка, — хотел бы я этого волшебника встретить! Я бы ему показал, как обманывать коротышек и давать им недоброкачественные волшебные палочки!

Незнайка был очень расстроен, но Пёстренький не был способен долго предаваться унынию. А может быть, это зависело вовсе не от него, а от солнышка, которое в это время поднялось высоко и залило своим светом скамеечку, на которой сидели три наших путешественника. Пригревшись на солнышке, Пёстренький почувствовал, что на свете живётся совсем неплохо. Щёки его сами собой расплылись в улыбке, и он сказал Незнайке:

— А ты не горюй, Незнайка! Ещё ведь не всё пропало. В крайнем случае, можно пойти в столовую и пообедать.

— Нет, Пёстренький, это всё-таки несправедливо! Ты скажи, зачем я хорошие поступки совершал, а? Я ведь три хороших поступка совершил. И главное, все подряд и совсем бескорыстно!

Пока Незнайка и Пёстренький разговаривали, вдали на дорожке показался прохожий. На нём был тёмно-синий халат, усеянный сверкавшими на солнышке золотыми звёздочками и серебряными полумесяцами, а на ногах красные туфли с длинными, загнутыми кверху носками. В этих туфлях он шагал очень быстро и совершенно бесшумно. Никто не заметил, как он подошёл к лавочке и уселся рядом с Незнайкой. Некоторое время он сидел молча, опираясь руками о палку и искоса поглядывая на Незнайку, который продолжал разговаривать с Пёстреньким.

Неожиданно Незнайка почувствовал, что рядом кто-то сидит. Он осторожно скосил глаза и увидел сидевшего на лавочке маленького старичка с длинными седыми усами и белой седой бородой, как у Деда Мороза. Его лицо показалось Незнайке знакомым. Скользнув вниз глазами, Незнайка увидел на ногах старичка красные туфли с загнутыми кверху носками и пряжками в виде золотых полумесяцев.

— Ах, да ведь это волшебник! — вдруг вспомнил Незнайка, и его лицо засияло от радости. — Здравствуйте!

— Здравствуй, здравствуй, дружок! — улыбнулся волшебник. — Вот мы и встретились. Ну, говори, зачем хотел меня видеть?

— Да я разве хотел?

— А разве нет? Сам только что сказал: «Хотел бы я этого волшебника встретить! Я бы ему показал». Что ты хотел показать мне?

Незнайке стало ужасно стыдно. Он опустил голову и боялся даже взглянуть на волшебника.

– Я хотел показать вам волшебную палочку, – пролепетал наконец он. – Она почему-то испортилась и не хочет исполнять никаких желаний.

– Ах, вот в чём дело! – воскликнул волшебник и взял у Незнайки волшебную палочку. – Да-да, я вижу, она испортилась. Совсем, братец, испортилась, окончательно. Вот как! Я ведь говорил тебе, что если совершишь три скверных поступка, то волшебная палочка потеряет свою волшебную силу.

– Когда это вы говорили? – удивился Незнайка. – Ах, да, правильно, вы говорили. Я совсем забыл. А я разве уже совершил три скверных поступка?

– Ты их тридцать три совершил! – сердито сказала Кнопочка.

– Я что-то ни одного не могу припомнить, – ответил Незнайка.

– Придётся тебе напомнить, – сказал волшебник. – Разве ты не превратил в осла Листика? Или это, по-твоему, хороший поступок?

– Но я ведь тогда очень сердитый был, – возразил Незнайка.

– Сердитый ты или не сердитый – это не имеет значения. Всегда надо поступать хорошо. Потом ты превратил трёх ослов в коротышек.

– Но я ведь не знал, что из этого выйдет.

– А раз не знал, значит, и делать не надо было. Всегда надо поступать обдуманно. Из-за твоей необдуманности много неприятностей вышло. Ну и, наконец, ты дразнил обезьяну в клетке. Это тоже плохой поступок.

– Всё верно! – с досадой махнул Незнайка рукой. – Вот всегда так бывает: как не повезёт с самого начала, так уж до конца не везёт!

От огорчения Незнайка готов был заплакать. А Пёстренький сказал:

– Ты не плачь, Незнайка. Ведь и без волшебной палочки можно прекрасно жить. Что нам палочка, светило бы солнышко!

– Ах ты, мой милый, как же ты это хорошо сказал! – засмеялся волшебник и погладил Пёстренького по голове. – Ведь и правда, оно хорошее, наше солнышко, доброе. Оно всем одинаково светит: и тому, у кого есть что-нибудь, и тому, у кого – совсем ничего; у кого

есть волшебная палочка, и у кого
её нет. От солнышка нам и светло, и тепло, и на душе радостно. А
без солнышка не было бы ни цветов,
ни деревьев, ни голубого неба, ни трав-
ки зелёной, да и нас с вами не было бы.
Солнышко нас и накормит, и напоит, и обогреет, и высушит. Каждая
травинка и та тянется к солнцу. От него вся жизнь на земле. Так
зачем нам печалиться, когда светит солнышко? Разве не так?

– Конечно, так, – согласились Кнопочка и Пёстренький.

И Незнайка ответил:

– Так!

ГЛАВА ТРИДЦАТЬ ВТОРАЯ

День рукавичек

Они долго сидели на лавочке и грелись на солнышке, и радова-
лись, и им было хорошо, и никто уже не жалел о волшебной палочке.
И Незнайка сказал:

– А нельзя ли, чтоб так просто желание исполнилось, без
волшебной палочки?

– Почему же нельзя? – ответил волшебник. – Если желание большое и к тому же хорошее, то можно.

– У меня очень большое желание: чтоб в Солнечном
городе всё стало так, как было,
когда мы приехали, и чтоб
Листик снова стал коротыш-

кой, а ослы – ослами, и ещё чтоб милиционера Свистулькина выписали из больницы.

– Ну что ж, это желание очень хорошее, и оно будет исполнено, – ответил волшебник. – А у тебя, Кнопочка, есть какое-нибудь желание? – спросил он Кнопочку.

– У меня такое желание, как и у Незнайки, – сказала Кнопочка. – Но если можно пожелать ещё что-нибудь, то я хочу, чтоб мы поскорей вернулись в Цветочный город. Мне почему-то очень домой захотелось...

– Это тоже будет исполнено, – сказал волшебник. – А у тебя, Пёстренький, какое желание?

– У меня много желаний, – сказал Пёстренький. – Целых три.

– О! – удивился волшебник. – Ну, говори.

– Первое – это я очень желал бы узнать, где тот лев, которого Незнайка выпустил на свободу, и не съест ли он нас?

– Твоё желание нетрудно исполнить, – ответил волшебник. – Лев сидит в той же клетке, где и сидел. Когда вы вчера убежали, пришёл сторож и закрыл клетку. Лев даже не успел выйти на свободу. Ты можешь быть спокоен: лев никого не съест.

– Это хорошо, – сказал Пёстренький. – Второе моё желание такое: мне очень любопытно узнать, что милиционер сделал с Клёпкой и Кубиком? Мы видели, как он поехал с ними в милицию.

– На это тоже легко ответить, – сказал волшебник. – Милиционер помог починить Клёпке машину и отпустил его вместе с Кубиком домой, так как они ничего плохого не сделали.

– А третье моё желание такое, – сказал Пёстренький, – нельзя ли сделать так, чтоб никогда не умываться, но в то же время всегда быть чистым?

– Гм! – сказал в замешательстве волшебник. – Это, голубчик, трудновато исполнить. Я, пожалуй, даже и не смогу. Но если хочешь, я могу сделать так, что ты будешь чувствовать себя хорошо только после того, как умоешься. Если ты забудешь вовремя умыться, то грязь на твоём лице начнёт щипать тебя за щёки, будет покалывать тебя, словно булавочками, до тех пор, пока ты не умоешься. Постепенно ты приучишься умываться вовремя. Это начнёт тебе даже нравиться, и ты будешь испытывать большое удовольствие от умывания. Как ты думаешь, это тебя устроит?

– Вполне, – сказал Пёстренький.

– Ну, тогда всё в порядке.

В это время вдали на дорожке показались три осла или, вернее сказать, два осла, потому что третий был не чистокровный осёл, а лошак. Они шагали один за другим, потихоньку постукивая копытцами, резво помахивая хвостами и добродушно шевеля ушами. Следом за ними шла уборщица в белом платочке.

– Ах вы беглецы! Ах вы беспутные! Ах вы бесшабашные головы, такие-сякие! – ворчала уборщица, подгоняя ослов. – Да где же вы пропадали столько времени? Где шатались? Куда вас носило? А всё этот Пегасик! У, я тебя знаю, разбойник! Ты не прикидывайся таким смирненьким! Ты коновод! Небось ты убежал первый, а за тобой и Калигула с Брыкуном увязались. Без тебя им не додуматься было до этого.

Пегасик, который шагал позади Калигулы и Брыкуна, как будто понимал, что разговор идёт о нём. Он опустил голову и только помаргивал глазами с невинным видом.

– А ты не моргай, не моргай, бесстыдник! – журила его уборщица. – Ишь ведь только вид делает, будто не понимает. Ты всё понимаешь, я знаю!.. Ну ничего, голубчики, погуляли – и хватит! Думали, далеко убежите? Нет, братцы, никуда вы не убежите!

Подойдя к загородке, уборщица отворила калитку и загнала всех трёх беглецов за ограду.

– Видишь, Незнайка, твоё желание исполняется. Эти трое уже вернулись на своё место, – сказал волшебник. – А теперь пойдёмте – может быть, мы ещё кое-что увидим.

С этими словами волшебник поднялся с лавочки и зашагал к выходу из зоопарка. Незнайка, Кнопочка и Пёстренький тоже

вскочили и поспешили за ним.

Выйдя из зоопарка, они увидели, что вокруг было полно прохожих. Казалось, что в этот день все высыпали на улицу и никто не хотел оставаться дома. Со всех сторон доносились музыка, пение, отовсюду слышались весёлые голоса и радостный смех.

Дойдя до перекрёстка, наши путешественники увидели толпу коротышек, которая собралась у углового дома. Вверху, на крыше дома, стояли несколько малышей и малышек с большими корзинами. Они доставали что-то из этих корзин и пригоршнями бросали прямо в толпу. Подойдя ближе, Незнайка и его спутники увидели, что сверху падали рукавички. Они были разные: синие, белые, красные, зелёные, розовые. Стоявшие снизу хватали их на лету, поднимали с земли, надевали на руки и тут же начинали обмениваться между собой, стараясь подобрать себе пару рукавичек одного цвета.

— Что это такое? Зачем рукавички бросают? — спросила Кнопочка.

— Сегодня День рукавичек, или, как его иначе называют, Праздник солнечных братьев, — сказал волшебник. — В этот день повсюду разбрасывают рукавички. Все берут эти рукавички и меняются между собой. Те, кто обменялись, становятся солнечными братьями.

– Почему братьями? – удивился Незнайка.

– Ну, это обычай такой. День рукавичек бывает каждый год в Солнечном городе, поэтому здесь с каждым годом появляется всё больше и больше солнечных братьев. Скоро в Солнечном городе все будут братьями.

На следующем углу волшебник неожиданно остановился и тихо сказал:

– Смотрите!

Незнайка, Кнопочка и Пёстренький остановились. Прямо перед ними посреди тротуара стояли

малыш и малышка. Они крепко держались за руки, смотрели друг на дружку, не спуская глаз, и ничего и никого не замечали вокруг.

– Кто это? – спросила Кнопочка.

– Неужели не догадываетесь? Это Листик и Буковка, – ответил волшебник.

– Ах, это Листик! – воскликнул Незнайка. – Значит, он уже превратился в коротышку! Кажется, я припоминаю его!

– Милый Листик! – сказала в это время Буковка. – Как я рада, что ты наконец вернулся! Я так скучала по тебе, так плакала!

– Ничего, Буковка, зато теперь мы всегда будем вместе и никогда не расстанемся, – утешал её Листик.

– Где же ты пропадал всё время? Расскажи мне.

– Я, дорогая, был в цирке. Ах, как там было весело, как интересно, если бы ты знала! Днём репетиции, тренировки, а вечером представления. И так каждый день, даже по воскресеньям.

— А мне было так грустно, что даже в цирк не хотелось, — сказала Буковка. — Почему же ты не сообщил мне, что ты в цирке?

— Не сердись, Буковка! Просто я даже не знаю, как это вышло, — замялся Листик. — Просто я тогда ослом был.

В это время сверху что-то посыпалось, и целая толпа коротышек бросилась подбирать падавшие с крыши дома рукавички. Незнайку, Кнопочку и Пёстренького чуть не сбили с ног. С большим трудом они выбрались из толпы, но всё-таки тоже успели схватить по две рукавички. Отбежав подальше, они стали рассматривать свою добычу. Незнайке достались коричневая и оранжевая рукавички. Кнопочке – жёлтая и розовая, а Пёстренькому – синяя и белая.

– Вот как неудачно вышло! – сказала Кнопочка. – Мы даже между собой поменяться не можем: все рукавички разные.

Вдруг к ним подбежали со смехом несколько коротышек и стали меняться рукавичками. Один малыш взял у Незнайки оранжевую рукавичку, а вместо неё дал зелёную, другой выхватил коричневую и сунул вместо неё голубую, а голубую у него тут же взяла какая-то малышка, заменив её на красную.

– Во! – обрадовался Незнайка. – У меня теперь сразу двое солнечных братьев и одна сестричка!

С Кнопочкой тоже двое малышей обменялись рукавичками, так что у неё вместо жёлтой и розовой рукавичек стали синяя и зелёная. Пёстренький чувствовал себя обиженным, потому что с ним никто не захотел меняться.

В это время Незнайка увидел, что к ним идёт милиционер. Он был в новенькой блестящей каске. Присмотревшись, Незнайка убедился, что это был не кто иной, как всем известный милиционер Свистулькин. Незнайка разинул от удивления рот, да так и остался с разинутым ртом, а Свистулькин направился прямо к Незнайке и принялся осматривать его с головы до ног. Особенно внимательно, как показалось Незнайке, Свистулькин осмотрел его жёлтые брюки. Незнайка похолодел от страха и уже готов был задать стрекача, но тут милиционер взглянул на свои руки, на которых были надеты белая и красная рукавички, после чего быстро подошёл к Пёстренькому, снял с его руки белую рукавичку, а вместо неё надел ему свою красную. Теперь у Свистулькина обе рукавички были беленькие. Он не спеша натянул их на руки, расправил как следует, потом приложил к козырьку руку, широко улыбнулся Пёстренькому и отправился своей дорогой.

– Ну вот, теперь вы убедились, что все ваши желания исполнились, – сказал волшебник, разглаживая рукой свою длинную бороду. – Ослы вернулись в зоопарк, Листик вернулся к Буковке, милиционер Свистулькин выписался из больницы. Теперь только осталось отправить вас домой.

– А как же с ветрогонами быть? – спросил Незнайка. – Может быть, с ними тоже надо что-нибудь сделать, чтоб они перестали обижать коротышек?

– Об этом не беспокойся, – ответил волшебник. – Я написал волшебную книгу, в которой рассказывается обо всём, что с вами случилось.

Это очень поучительная история. Каждый ветрогон, который прочитает её, увидит, что он брал пример с обыкновенных ослов, и ему станет стыдно. После этого никто не захочет подражать ветрогонам.

– А если на кого-нибудь не подействует книга? – спросил Пёстренький.

– Этого не может случиться, – ответил волшебник. – На коротышек книги всегда хорошо действуют. Они не действуют только на натуральных... так сказать, прирождённых ослов.

Разговаривая таким образом, путешественники дошли до площади, где стояло десятка два или три автомобилей, предназначенных для загородной езды.

– С сегодняшнего дня в Солнечном городе вступила в действие

станция маршрутных автоматических такси. Раньше автоматические такси ходили только по городу, а теперь можно ехать на маршрутных такси куда хотите, – сказал волшебник.

Подойдя к крайней машине, волшебник сунул руку в щель, имевшуюся позади радиатора, и вытащил из неё картонную табличку, на которой была напечатана карта страны коротышек. Отыскав на карте Цветочный город, он начертил на ней карандашом путь по дорогам, которые вели от Солнечного города к Цветочному, и, сунув карту обратно на место, сказал:

– Теперь садитесь, нажимайте кнопку на щитке приборов и можете ехать. Машина сама довезёт вас куда надо. Если захотите остановиться, нажмите эту же кнопку. Захотите ехать дальше, опять кнопку нажмите. Вот и всё управление.

– Это, что ли, волшебная машина? – спросил Пёстренький.

– Нет, это обыкновенное маршрутное такси. Вы видели, я начертил на карте маршрут, то есть путь, по которому вам надо ехать. В автомобиле имеется электронное устройство, которое автоматически направляет машину по начерченному пути. По этому же пути автомобиль сам вернётся обратно, когда отвезёт вас.

Незнайка, Кнопочка и Пёстренький залезли в автомобиль и уселись рядышком на мягком сиденье. Волшебник закрыл за ними дверцу и помахал рукой на прощание. Незнайка нажал кнопку на щитке приборов. Машина тронулась. Путешественники обернулись назад и замахали волшебнику руками. Волшебник тоже продолжал махать им рукой. Его длинная борода развевалась по ветру, и от этого Пёстренькому казалось, что волшебник машет им бородой.

– Смотрите, бородой машет, – сказал Пёстренький и затрясся от смеха.

– Стыдно над волшебниками смеяться! – строго сказала Кнопочка. – Бородами никто махать не может.

Описав на площади дугу, машина повернула за угол, и волшебника больше не стало видно.

ГЛАВА ТРИДЦАТЬ ТРЕТЬЯ

Незнайка, Кнопочка и Пёстренький становятся солнечными братьями

Через полчаса машина уже выехала из города и помчалась через поля. Незнайке и его спутникам жалко было расставаться с Солнечным городом. В последний раз они обернулись назад и увидели заходящее солнце. Оно было красное и огромное и уже наполовину скрылось за краем земли. Солнечный город всё ещё был виден вдали. Чёрные силуэты домов как бы отпечатались на светящемся диске солнца. Таким они видели Солнечный город в последний раз. Солнышко опустилось за горизонт, и город как бы растаял в туманной дали.

Путешественники уютно уселись рядышком и начали вспоминать, что случилось с ними за день.

– Удивительно, как это нам удалось за сегодня всех встретить: и ослов, и Листика, и милиционера Свистулькина! Теперь я за них спокоен, – сказал Незнайка.

– Нашёл чему удивляться! – ответил Пёстренький. – Было бы удивительно, если бы мы их не встретили. Ведь всё это было волшебство.

– Жаль, что мы не встретились с Кубиком и не поехали с ним посмотреть дома Арбузика, – сказала Кнопочка.

– Очень жаль, – согласился Незнайка. – Но я ещё больше жалею, что мы не поехали с инженером Клёпкой к Фуксии и Селёдочке в Научный городок. Там, наверно, можно было увидеть много интересных вещей.

– Грустно, конечно, что мы не побывали везде, где хотели, – сказала Кнопочка, – но было бы хуже, если бы мы покидали Солнечный город без всяких сожалений. О хорошем всегда жалеют. Зато мы

должны быть доволь-
ны, что у нас в Солнечном
городе братцы есть!

– Ну, я и доволен, – ответил
Пёстренький. – У меня братец – милиционер,
а вы с Незнайкой даже не знаете, кто ваши солнечные братцы.

– Ну и что ж, – ответила Кнопочка. – Я всё равно рада,
что они у нас есть, и всегда буду любить их. Будто надо хорошо
относиться только к тем, кого знаешь! Мне известно, что мои солнечные братцы – хорошие коротышки, и этого с меня вполне достаточно.

Как только Кнопочка вспомнила про солнечных братьев, все
взглянули на свои рукавички. Теперь у Незнайки одна рукавичка

была зелёная, а другая – красная, у Кнопочки тоже одна рукавичка была зелёная, но другая – синяя, а у Пёстренького были синяя и красная рукавички.

– Смотрите! – сказала вдруг Кнопочка. – Теперь мы с вами тоже можем меняться. Пусть Пёстренький даст свою красную рукавичку Незнайке, и у Незнайки тогда будут две красненькие; Незнайка даст мне свою зелёненькую, и у меня будут две зелёные; а я дам Пёстренькому свою синюю рукавичку, и у него станут две синенькие.

Они быстро поменялись рукавичками и даже засмеялись, увидев, как всё получилось склад-

но. На душе у них сразу стало так хорошо, как никогда не бывало. Они прижались тесней друг к дружке и долго сидели молча. Наконец Кнопочка сказала:

– Давайте, братцы, когда вернёмся домой, тоже нашьём рукавичек и будем разбрасывать, чтобы в нашем городе тоже были солнечные братцы. Ведь как хорошо солнечными братцами быть!

День между тем догорел. Багровое облако, освещённое отблеском заката, постепенно потухло. В небе начали появляться одна за другой звёздочки. Пёстренький захотел спать. Голова его понемножку свешивалась набок, туловище постепенно наклонялось в сторону. Потеряв, наконец, равновесие, он начинал быстро падать на сидевшего рядом Незнайку, словно хотел его клюнуть носом, однако тут же просыпался и отдёргивал голову назад.

– Ты что это? Никак, засыпаешь? – спрашивал Незнайка.

– Нет, это я просто шутю.

– Не «шутю» надо говорить, а «шучу», – поправила его Кнопочка.

Кончились все эти шуточки тем, что Пёстренький свалился на бок да так и заснул. Кнопочка и Незнайка уложили его поудобнее, облокотив на мягкую спинку сиденья, и сказали:

– Пусть спит.

Они не заметили, как и сами уснули, а когда проснулись, то увидели, что машина остановилась посреди улицы, а в лицо им светило поднимавшееся из-за леса солнышко.

– Вот так штука! Куда-то приехали... – сказал Незнайка, открывая дверцу и вылезая из машины.

Кнопочка тоже вышла из машины и огляделась вокруг.

– Ясно куда, – сказала она. – Мы ведь в Цветочном городе!

– Ах, верно! – воскликнул Незнайка. – Точно на то же место приехали, откуда выехали. Эй, Пёстренький! Вставай, мы уже приехали.

Пёстренький проснулся и вылез из машины.

– Удивительно, как быстро доехали! – сказал он, зевая во весь рот и протирая руками глаза.

– Хорошенькое дело – быстро! – ответил Незнайка. – Ты ведь проспал всю ночь. Уже утро!

– Тогда, конечно, ничего удивительного нет! – сказал Пёстренький. – Ну, я пошёл домой.

Он заложил за спину руки в синеньких рукавичках и зашагал домой.

Незнайка захлопнул дверцу машины. Машина сейчас же развернулась сама собой и поехала в обратную сторону. Незнайка и Кнопочка поглядели ей вслед и пошли по улице. Они были очень рады, что вернулись в свой родной Цветочный город. Им хотелось побродить и поглядеть на него. Пройдя по улице, они вышли на берег Огурцовой реки. За время их отсутствия огурцы разрослись так, что среди огуречных стеблей можно было заблудиться, словно в лесу.

Незнайка и Кнопочка остановились на крутом бережку, с которого были видны и лес, и река, и мост через реку, и весь Цветочный город. Утреннее солнышко позолотило крыши домов, и они светились оранжевым светом, будто сами собой.

– Хорошо в нашем Цветочном городе! – воскликнул, залюбовавшись этой картиной, Незнайка. – А было бы ещё лучше, если бы у нас построить такие же большие, красивые дома, как в Солнечном городе.

– Ишь чего захотел! – засмеялась Кнопочка.

– Да были бы у нас парки, театры и весёлые городки! Да ездили бы по всем улицам автомобили, автобусы и атомные автостульчики! – продолжал мечтать Незнайка.

– Но ведь жители Солнечного города трудились, чтоб сделать всё это, – ответила Кнопочка. – Само собой ничего не сделается.

– Ну и мы ведь можем трудиться, – сказал Незнайка. – Если все дружно возьмутся, то многое могут сделать. Вот смотри, мы все взялись и построили через реку мост. А один коротышка разве построил бы?.. Конечно, жалко, что у нас волшебной палочки нет. Можно было бы только махнуть – и весь город стал бы как Солнечный.

– Вот и видно, Незнайка, что ты ни капельки не поумнел. Ты всегда будешь мечтать о волшебной палочке, чтобы как-нибудь прожить без труда, чтобы всё по щучьему велению делалось. А я, например, ничуточки не жалею об этой палочке. Ведь волшебная палочка – это огромная сила, и если такая сила попадёт в руки не очень умному коротышке, вроде тебя, то тут вместо пользы может выйти один только вред. Я бы на твоём месте пожелала себе вместо волшебной палочки немножко ума. У кого ума достаточно, тому и волшебная палочка не нужна.

– Ну, Кнопочка, я ведь не жалею о волшебной палочке! Просто я думал, что ты жалеешь. Почему же ты упрекаешь меня?

– Потому что я хочу, чтоб ты был хороший.

– Как? – вскрикнул Незнайка. – И ты тоже хочешь, чтоб я был хороший?

– Да. А кто же ещё этого хочет?

– Ну, есть тут у меня одна такая подружка, – замахал руками Незнайка.

– Подружка? – удивилась Кнопочка. – Какая ещё подружка?

– Да такая, вроде тебя. Тоже всё время упрекает меня. Говорит, что хочет, чтоб я был лучше.

– И давно ты с ней дружишь?

– Давно.

Кнопочка обидчиво надула губки и отвернулась от Незнайки. Потом сказала:

– Какой же ты нехороший, Незнайка! Ты скрытный. Мы уже столько дружим с тобой, а ты никогда не говорил, что дружишь с кем-то, кроме меня. Дружи, пожалуйста! Я разве против? Я не против! Но почему ты мне не сказал?

– Да что тут ещё говорить? Я и не дружу особенно. Она сама ко мне привязалась.

– Ой, не ври, не ври, Незнайка! – погрозила Кнопочка пальцем. – Ты скажи лучше, как её зовут?

– Кого?

– Ну, её, эту твою подружку.

– Ах, её!.. Ну, её зовут совесть.

– Какая Совесть? – удивилась Кнопочка. – Ах, совесть!

Кнопочка весело рассмеялась, потом положила свои руки на плечи Незнайке и, поглядев ему прямо в глаза, сказала:

– Ах, какой же ты смешной, Незнайка! Смешной – и всё-таки хороший. Ты, наверно, даже не знаешь, какой ты хороший!

– Какой я хороший! – смущённо сказал Незнайка. – Это тебе, наверно, только так кажется.

– Почему только так кажется? – спросила Кнопочка.

– Ну... – замялся Незнайка. – Просто ты, наверно, влюбилась в меня – вот и всё.

– Что? Я? Влюбилась?! – вспыхнула Кнопочка.

– Ну да, а что тут такого? – развёл Незнайка руками.

– Как – что такого? Ах ты... Ах ты... – От негодования Кнопочка не могла продолжать и молча затрясла у Незнайки перед носом крепко сжатыми кулачками. – Между нами всё теперь кончено! Всё-всё! Так и знай!

Она повернулась и пошла прочь. Потом остановилась и, гордо взглянув на Незнайку, сказала:

– Видеть не могу твою глупую, ухмыляющуюся физиономию, вот!

После этого она окончательно удалилась. Незнайка пожал плечами.

– Ишь ты, какая штука вышла! А что я сказал такого? – смущённо проборомотал он и тоже пошёл домой.

Так окончилось путешествие Незнайки в Солнечный город.

Оглавление

Для чтения взрослыми детям

Носов Николай Николаевич

НЕЗНАЙКА В СОЛНЕЧНОМ ГОРОДЕ

Генеральный директор издательства *А. Витрук*
Главный редактор *С. Пархоменко*
Ответственный редактор *Л. Кузьмина*
Художественный редактор *Е. Соколов*
Технический редактор *Т. Андреева*
Корректоры *Г. Левина, К. Каревская*
Компьютерная вёрстка *М. Ковригина*

Подписано в печать 15.05.2008
Формат 84×100 $^1/_{16}$. Бумага офсетная.
Гарнитура «Pragmatica». Печать офсетная. Усл. печ. л. 37,44.
Тираж 15 000 экз. Заказ № 929

Издание И. П. Носова. 121165, Москва, а/я 10

ООО «Издательская Группа Аттикус» —
обладатель товарного знака Machaon
119991, Москва, 5-й Донской проезд, д. 15, стр. 4
Тел. (495) 933-7600, факс (495) 933-7620
E-mail: sales@machaon.net
Наш адрес в Интернете: www.machaon.net

ГС № 77.99.60.953.Д.011615.10.07 от 03.10.2007

ОПТОВАЯ И МЕЛКООПТОВАЯ ТОРГОВЛЯ:

В Москве:
Книжная ярмарка в СК «Олимпийский»
129090, Москва, Олимпийский проспект, д. 16,
станция метро «Проспект Мира»
Тел. (495) 937-7858

В Санкт-Петербурге «Аттикус-СПб»:
198096, Санкт-Петербург, Кронштадтская ул., д. 11, 4-й этаж, офис 19
Тел./факс (812) 783-5284
E-mail: machaon-spb@mail.ru

В Киеве «Махаон-Украина»:
04073, Киев, Московский проспект, д. 6, 2-й этаж
Тел. (044) 490-9901
E-mail: sale@machaon.kiev.ua

Отпечатано с готовых диапозитивов
в Открытом акционерном обществе «Ордена Октябрьской
Революции, Ордена Трудового Красного Знамени
«Первая Образцовая типография».
115054, Москва, Валовая, 28